Ⓢ新潮新書

保阪正康
HOSAKA Masayasu

あの戦争は何だったのか

大人のための歴史教科書

125

新潮社

はじめに

「太平洋戦争とはいったい何だったのか」、戦後六十年の月日が流れたわけだが、未だに我々日本人はこの問いにきちんとした答えを出していないように思える。

例えば、いくつかの象徴的なことを提示してみよう。

ひとつは夏の甲子園での八月十五日のセレモニー。正午のサイレンに合わせ高校球児たちが一斉に黙禱を捧げる。それは当たり前のように繰り返される「美しい光景」と評されている。しかし、私にはどうにも違和感を覚えてならないのだ。平成に入って生まれた彼らが、本当にその意味を理解しているとは思えない。もう六十年前の戦争にどうして頭を下げなければならないのか。真剣に黙禱する彼らに同情してしまう。無意味な儀式以外の何物でもないように思うのだ。

またこんなことも、私には奇妙に感じられてしまう。広島市の広島平和記念公園にある原爆死没者慰霊碑に記されている「安らかに眠って下さい。過ちは繰り返しませぬから」という碑文である。何を訴えたいのか、よくわからない。不思議なことに、この文に主語はない。原爆を落としたのはアメリカであるはずなのに、まるで自分たちが過ちを犯したかのようである。どうして誰も変に思わないのだろうか……。

戦後六十年の間、太平洋戦争は様々に語られ、捉えられてきた。しかし私にいわせれば、太平洋戦争を本質的に総体として捉えた発言は全くなかった。「あの戦争とは何であったのか、どうして始まって、どうして負けたのか」——。圧倒的な力の差があるアメリカ相手に戦争するなんて無謀だと、小学生だってわかる歴史的検証さえも充分になされていないのである。

これは一つに、いわゆる平和教育という歴史観が長らく支配し、戦争そのものを本来の〝歴史〟として捉えてこなかったからだといっていいだろう。太平洋戦争を語る際は必ず「侵略」の歴史であるとしなければならず、そして「反戦」「平和」「自由」「民主主義」「進歩」といった美辞麗句をちりばめ、言い換えれば史実の理解もなくやみくもに一元的に語ってきた。それで、後は臭いものには蓋と、一切の歴史をそうした枠内に追い込んできた。

その結果、日本人全体が、歴史としての「戦争」に対して〝あまりに無知〟となるに至ったのである。知的退廃が取り返しのつかないほど進んでしまった、と私には思われる。

現在、私はある私立大学の社会学部などで講座をもっているのだが、学生たちの多くがほとんど日本の近現代史を知らないことに驚かされる。聞くと、高校で日本史は学ばなかった者もいる。カリキュラムでは日本史は必修科目ではなく、選択科目になっているのだそうで、みな複雑な日本の近現代史は避けて世界史を選ぶのだとか。これではアジアの国々から「日本は侵略をしたのだから謝罪しろ」と政治的プロパガンダを伴って言われれば、相手が言うなりのまま謝罪するしかない。戦争のことをまるで知らないのだから。相手の言うことを理解した上できちんと反論する、あるいは共通の基盤をつくる、そうしたディスカッションができなくなっている。

昭和二十一年四月、私は小学校一年生となった。そのころの記憶は未だに鮮明である。学校でよく映画館に連れて行かれ、アメリカが戦時中撮った戦闘の記録フィルムを見せられた。画面では、日本の特攻隊の飛行機が、次々と撃ち落されている。そうすると私たち小学校二、三年生が観ている中で拍手が起こるのだ。誰が拍手しているか見ると、教師たちであった。私自身そうした記憶はトラウマのように頭に残っている。こういうことが平和教育だったのだ。

確かに敗戦直後は、三年八ヶ月もの太平洋戦争が続いたこともあり、「ああいう苦しみは嫌だ。もう二度と戦争は嫌だ」という感情が拭い去れぬ時間帯があった。ただそれが十年経ち、二十年経ち、今に至るも、戦争はそうした反省色の濃い、形骸化した感情論だけで語られているのである。

また一方では、このあまりにも一元化した歴史観が反動となって、今度は「新しい歴史教科書をつくる会」のような人たちが現れ、「大東亜戦争を自虐的に捉えるべきじゃない」などと言い出している。しかしこれも、同じように感情論でしか歴史を見ていない。「平和と民主主義」で戦争を語る者たちとコインの裏表のように感じる。

さらにまた、よく「戦争を語り継ぐ」といった戦争体験者たちが語る声も耳にする。戦争を語り継ぐなどというといかにも響きよく聞こえるが、これなどもある種のトリックであると思う。一見、熱心に語っているようで、実は何も語っていない。

考えていただきたい。例えば戦争体験者に「太平洋戦争とは何だったか」と聞けば、ある者は「南方の戦線に動員され、銃撃戦や飢えを潜り抜け命からがら生還した」と言うだろう。またある者は「一日中、塹壕《ざんごう》の穴を掘っていた」と答えるかもしれない。あるいは玉砕の戦場にいて「明日死ぬぞ、突っ込んでいくぞ」という修羅場にいた犠牲者もいれば、東京の大本営の一室で暖衣飽食しながら図面を引いていた指導者もいる。それぞれ百人百様の戦争があるはず。それが彼らにとって全てだったのだから当然だ。確かに彼らは実際の戦争の一端を知っているわけだけれども、それはあくまでも断片に過ぎない。全体として戦争で何が起こっていたかは誰も知らないのだ。

自分の私的な体験を普遍化して、いかに歴史の流れに重ね合わせることができるか、それで始めて知的な行為となりうる。ただ単に戦争体験を語ることと戦争を知ることは全く違う。それを取り違えてしまっている場合が多い。

本当に真面目に平和ということを考えるならば、戦争を知らなければ決して語れないだろう。だが、戦争の内実を知ろうとしなかった。日本という国は、あれだけの戦争を体験しながら、戦争を知ることに不勉強で、不熱心。日本社会全体が、戦争という歴史を忘却していくことがひとつの進歩のように思い込んでいるような気さえする。国民的な性格の弱さ、狡《ずる》さと言い換えてもいいかもしれない。日本人は戦争を知ることから逃げてきたのだ。

ロンドンには「戦争博物館」というものがある。ここには第一次世界大戦以降の戦争の歴史が淡々と展示されている。ナチスドイツの制服や武器といったものまでもドキュメントとしてある。しかし、決して非難めいて陳列されているわけではない。また館の入口には館長の言葉として、こう書かれている。「展示をしっかりとご覧下さい、全て現実にあった出来事です。そして後は自分で考えることです」と。


今改めて私は、太平洋戦争そのものは日本の国策を追う限り不可避なものだったと思い至っている。そしてあの三年八ヶ月は、当時の段階での文明論、あるいは歴史認識、戦争に対する考え方など、日本人の国民的性格が全て凝縮している、最良の教科書なのだ。太平洋戦争を通じて、無限の教えを見出すことができるはずである。

現在の大衆化した社会の中で、正確な歴史を検証しようと試みるのは難しいことかもしれない。歴史を歴史として提示しようとすればするほど、必ず「侵略の歴史を前提にしろ」とか「自虐史観で語るな」などといった声が湧き上がる。しかし戦争というのは、善いとか悪いとか単純な二元論だけで済まされる代物ではない。あの戦争にはどういう意味があったのか、何のために三一〇万人もの日本人が死んだのか、きちんと見据えなければならない。

歴史を歴史に返せば、まず単純に「人はどう生きたか」を確認しようじゃないかということに至る。そしてそれらを普遍化し、より緻密に見て問題の本質を見出すこと。その上で「あの戦争は何を意味して、どうして負けたのか、どういう構造の中でどういうことが起こったのか」――、本書の目的は、それらを明確にすることである。

すでに遅きに失しているかもしれない。しかし、我々は何のためにこの時代に生きているのか、この国は何か、と考えるとき、太平洋戦争を考えないで逃げていては決して答えは出ないだろう。今がその最後のチャンスではないかと思う。

あの戦争は何だったのか　大人のための歴史教科書——目次

第四章 敗戦へ――「負け方」の研究 163

写真提供＝毎日新聞社

第一章　旧日本軍のメカニズム

「天皇の軍隊」という名のもとに「軍部」が権力を握った

「平和と民主主義」による戦後教育は、太平洋戦争を一言で「日本の軍部、軍国主義がアジア各地を侵略した行為」と片づける。確かにそうした捉え方は、一面、正しいといえるだろう。

では、「軍国主義」とはいったい何なのか、「軍部」とはいったい誰のことだったのか。これらのことを正確に定義できなければ、先の言葉も意味をなさないはずだ。しかし、旧日本軍のメカニズムについて正しく認識している人は案外少ないような気がする。私が講演などで出会う人たちに聞いても、中には兵隊が鉄砲を持って戦場に行く姿までも「軍部」だと思っている者もいるほどだ。

「軍部」というのは、参謀本部、軍令部などの作戦部、あるいは陸軍省、海軍省の軍務局など、軍の政策や戦略を司る中枢部のことをいう。「軍国主義」とは、そうした中枢部が発する命令、彼らの時代認識から来る戦略がどういったものだったか、それを指して定義するものである。

太平洋戦史を検証する前に、まずその前提として「旧日本軍とはいかなるものだったのか」、その基本的な組織構造について今一度きちんと確認しておく必要があるだろう。本書はそこから説き起こすこととしてみたい――。

1　職業軍人への道

陸軍士官の養成機関

陸軍にしても海軍にしても、軍人というのは大きく二つの構造から成り立っている。それは、一般徴集された兵士と職業軍人である。

一般の兵士とは、戦場における末端の一戦闘員のことである。平時の場合でも、二十歳になると日本国民の男子は全て兵役の義務があった。それに対して職業軍人とは、現場の指揮を執る将校を指す。職業軍人となるためには陸軍士官学校や海軍兵学校など将校士官養成のための教育機関を卒業することが条件となった。

では、職業軍人とはいかにして生まれていくのか、いま少し詳しく見ていくことにしよう。

旧日本軍の機構制度を確立させたのは、明治の元勲・山縣有朋《やまがたありとも》であった。陸軍大輔《たいふ》であった山縣は、彼の主導の下、明治六年に国民皆兵による徴兵令を公布、続いて明治七年頃から士官候補生養育のための教育機関、陸軍幼年学校、陸軍士官学校、そして海軍兵学校を作り上げていった。

ただこの時、陸軍と海軍の機関を比べると、陸軍の方が圧倒的に多くの士官候補生を養成しようとしていたことがわかる。

この明治七、八年の頃というのは、日本の国防方針として「海主陸従」と言われていた。島国である日本の主力は飽くまで海軍であるとされた。主に薩摩閥の多い海軍、長州閥の多い陸軍との力関係も影響していた。だが明治十年、西南の役が起こる。皮肉にも薩摩の西郷隆盛が起こした西南の役により、陸軍の重要さが認識されていったのである。

また海軍の士官候補生の少なさは、海軍内の物質的に未整備な事情によるところもあった。海軍士官を養成するためには、基本的に軍艦がなければ始まらない。しかし当時、日本の海軍は軍艦をまだほんのわずかしか有していなかった。しかも自国で造船することができず、海外、主にイギリスから譲り受けた少数の軍艦しかなかったのである。

陸軍の将校養成機関に比べ、海軍兵学校の人数が少ないのは致し方ないことだったのだ。

それではまず、数的に優位にあった陸軍の教育機関から細かく見てみることにする。

陸軍の職業軍人になるための第一歩は、陸軍幼年学校から始まる。年齢で言えば満十三歳の時である。高等小学校を終えた者か旧制中学の一年生修了時に、幼年学校を受けることが出来た。

幼年学校は全国に六ヶ所、東京、仙台、名古屋、大阪、広島、熊本に建てられた。いずれも全国で六つの師団が置かれた都市であった。募集人員は年によって変わったが、全国でだいたい二五〇名ぐらいに落ち着いた。日本各地から優秀な人材が選ばれ、入学した。学校教育は官費で金がかからないゆえ、経済的理由で進学するものも多かった。

幼年学校に入るということは、地元の誉れであった。

幼年学校では六つの都市で通常三年間教育が行われる（大正九年に制度改正）。

そして幼年学校を終えると、今度は陸軍士官学校に進むことになる。士官学校では、幼年学校から上がってきた者以外に、一般中学を五年生で卒業、あるいは四年が終った段階で新たに受験して入学してくる者もあった。幼年学校卒業者が士官学校入学者の過半数を占めるよう計画された。

士官学校での教育期間は士官候補生時代を含めて大体が四年半で、卒業する頃には二十歳そこそこの年齢となる。卒業した彼らは各原隊に赴き、そこで少尉となる。こうして将校見習いとして実地の訓練を受けるのである。ちなみに徴兵で入った一般の兵隊にとって、少尉に就くなどほとんどありえないことであった。

さて、原隊に入った将校見習いたちであるが、彼らにはさらなる目指すべき上級養成機関があった。陸軍大学校（通称、陸大）である。陸大に入ることは、軍内の高級将校になる道が約束されていることを意味した。

ただし陸大受験はそうとう難関であった。まず受験資格のハードルが待ち構えている。任官二年以上（昭和期には任官後八年となっていた）の少中尉が対象で、自分が属する原隊の連隊長の推薦、それに三十歳前の二年間だけという期限も設けられていた。試験は一次に学力、二次は口頭試問となっていた。定員はわずかに五〇人という狭き門であ

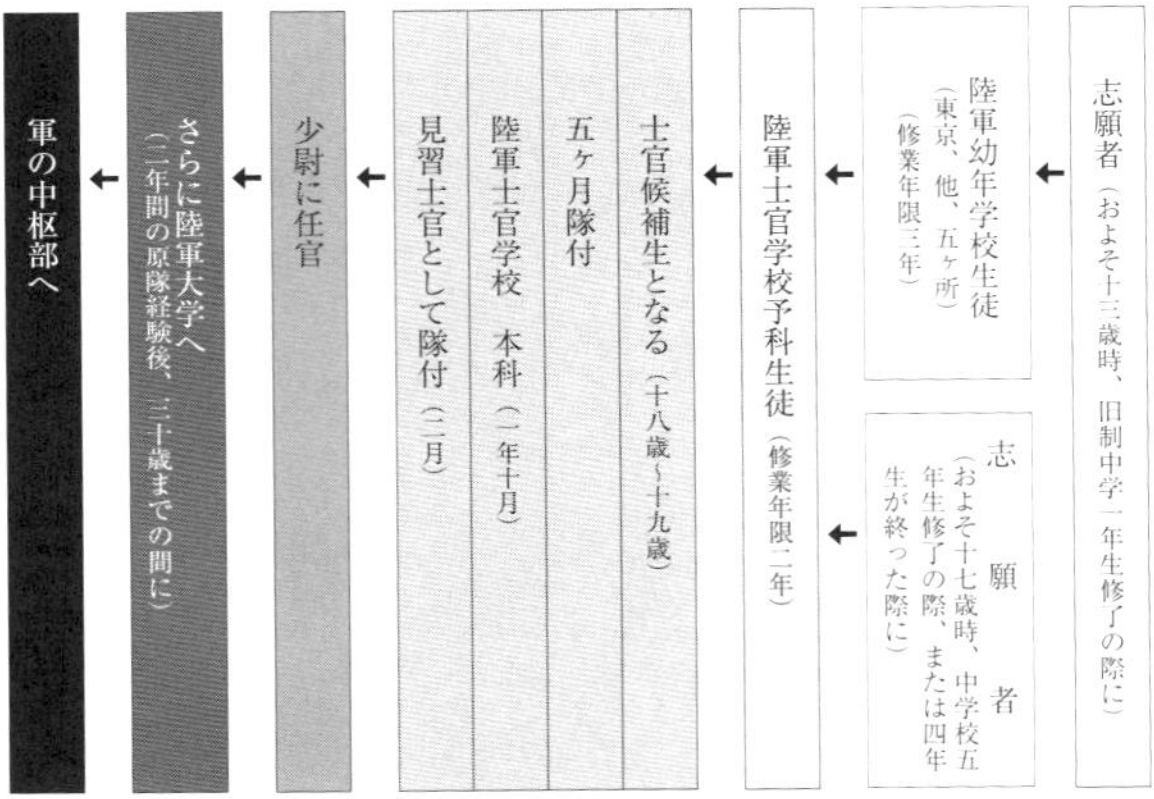

陸軍士官の養成機関

る。

晴れて陸大に入学すると、そこでの教育期間は三年間、卒業後はキャリア幕僚として扱われる。さらに陸大卒業時の成績上位者一割前後は「恩賜の軍刀組」と呼ばれ、参謀本部の作戦部など軍中枢部に入る特権を得た。まさにエリート中のエリートの存在である。

「統帥」の教え

明治十八年、陸大の第一期生、一〇人が卒業している。その一期生の成績一位者は東條英教《ひでのり》なる人物であった。彼は、後の太平洋戦争指導者となる東條英機の父親である。

陸軍大学校第一期生たちは、ドイツからのお雇外国人・メッケル少佐からプロシア式の参謀教育を受けることになった。必然的にそこで教材とされたのはヨーロッパの戦争である。日本の軍事事情とは必ずしも合致しない教えも多かったようだ。ただ、彼らが受けたプロシア式教育の中で、後の日本軍隊に決定的に影響を与えることになる、ある重要な事柄があった。それは「統帥」についての理解である。

「統帥」とは、陸海軍全てを指揮・統率すること、そしてその権限を持つのは天皇である。陸大で学ぶ学生は次のように教えられた。

「帝国の軍隊は皇軍にして、その統帥指揮は悉《ことごと》く統帥権の直接又は間接の発動に基づき、天皇の御親裁により実行し或はその御委任の範囲において、各統帥機関の裁量により実行せしめらるるものとす」（陸大で教えられた『統帥参考』より）

陸軍の軍人は何を使命として、何を目的とするか、それは「天皇に奉公すること」であり、「我々は天皇の軍隊である」と明確に教えられた。それにより陸軍内では、部下をどう指導し、どのような作戦を立てるのか、一本の筋の通った命令系統が出来上がることになった。さらに教えは、こう続く。

「統帥権の行使及びその結果に関しては議会において責任を負はず、議会は軍の統帥指揮並びに之《これ》が結果に関し質問を提起し、弁明を求め、又はこれを糾弾し、論難するの権利を有せず」

陸軍の軍事行動、作戦、その戦闘報告などの全ては、議会とは関係がなく、批判、疑問、それに報告要請にさえ応じる必要はないのだと。

つまり軍事に関しては、他の統治権からどのような干渉も受けない、独立した権限として成り立ちうるという考えであった。

昭和に入ると、この「統帥」の名の下で、陸軍は政治の上に君臨する強力な権限を作り上げていくことになる。「統帥」が陸大で徹底的に教えられたという事実は是非とも押さえておかなければならない歴史である。

さて、陸軍幼年学校、士官学校、陸大、この三つが陸軍の職業軍人を養成する主な機関であったわけだが、もうひとつ付け加えておかなければならない養成所があった。昭和十三年に開設された予備士官学校である。

これは昭和十年代に入り、日中戦争が始まって徴兵による一般兵が急増したことによる、いわば即席の陸軍の幹部候補生を生み出す機関であった。職業軍人が士官学校卒業生だけでは足りなくなってしまったのだ。旧制中学や旧制高校、大学で学んでいた徴兵の学徒から選抜し、予備役将校とする教育がなされていた。教育期間はわずか十一ヶ月で正直、付け焼刃的な感が否めない時代状況であった。

また予備士官学校の他にも、陸軍には航空士官学校、憲兵学校、飛行学校、歩兵学校、騎兵学校といった多くの術科学校、あるいは経理学校などの養成所が設けられていた。

海軍の教育機関

次に、海軍の幹部養成機関はどうなっていたのかを見ていくことにしよう。

陸軍の士官学校に相当する海軍兵学校が創立されたのは、明治九年であった。当初は東京・築地だったのが、のちに広島県江田島に移った。

先にも述べたように、陸軍の将校養成機関に比べて海軍の方は、当初、人数の面でかなり劣っていた。日本にはまだ戦艦が一隻もなかった時代である。早い話が、士官もそんなに必要ではなかったのだ。

しかし人数こそ少なかったが、海軍兵学校に集まってくる個々人の才能については、決して陸軍に劣らぬ、かなりの精鋭ぞろいだった。

兵学校の採用人数はおよそ一〇〇名前後。受験資格があるのは、陸軍士官学校と同じく、中学卒業生、あるいは四年修了時の学生であった。ただし試験科目には物理や数学などがあった。また陸軍のように幼年学校を経由してくるコースなどなく、士官学校よりもはるかに入学は難しかったようである。競争率が三十から四十倍になることも珍しくなかった。

海軍兵学校の上には、海軍大学校があった。創立は陸軍大学に遅れること五年、明治二十一年である。陸大がドイツ式のカリキュラムを採用していたのに対して、海大ではイギリス型の教育方式が採られていた。

海軍の職業軍人を養成する海軍兵学校、海大の学生は、当初、その定員も少なかったわけであるが、明治三十年代になると、海軍を取り巻く状況は大きく変わり、人員も徐々に拡充していくことになる。

日清戦争に勝った日本は、明治三十五年に日英同盟を締結。これによりイギリスからの軍艦輸入が増え、造船技術も学ぶことができた。また海軍の戦術知識なども積極的に取り入れていった。そして明治三十七年の日露戦争では、日本は連合艦隊を結成するに至る。東郷平八郎に率いられた連合艦隊は、ロシアのバルチック艦隊を撃破したのである。日露戦争に勝利し、さらに軍の近代化、整備の充実が図られるようになっていった。

日露戦争後の明治四十年、日本の軍部は新たに「帝国国防方針」を決めることとなった。陸軍は、ロシアの復讐を恐れて、そのロシアを仮想敵国とする。一方、太平洋を戦場とする海軍は、次第にアメリカを第一仮想敵国として戦略方針を固めていった。もっとも仮想敵国とはいっても、まだグアム辺りまで防衛線を延ばして、アメリカ海軍をあまり日本に寄せ付けないといった程度のものだった。だが日本はこうして、確実に高度国防国家への道を歩むことになった。

大正七年に第一次世界大戦が終ると、翌年には太平洋艦隊「八八艦隊（超ド級戦艦八隻と巡洋戦艦八隻を主力として編制する）」の要員養成がなされた。そのため海軍兵学校は募集人員を増やし、一学年の定員三〇〇人となっている。大正十一年のワシントン、昭和五年のロンドンと海軍の軍縮条約が結ばれた頃こそ、一時期は一学年五〇人から七〇人にまで落ち込んだが、昭和に入って満州事変以後、日本が国際連盟を脱退するに至ると、海軍は一気に大艦巨砲《たいかんきょほう》主義に流れ、兵学校の人数も太平洋戦争下では一気に一〇〇〇人規模に増加していく。

基礎知識1　恩賜の軍刀

陸軍大学校で卒業時の成績が、上位、一割前後の者に、天皇から与えられる褒美の軍刀である。刀のつばに接する部分にはめて、刀身が抜けないようにした「鎺《はばき》」という金具のところに「恩賜《おんし》」の刻印がなされていた。この軍刀を授かることは、エリートの集まる陸大の中にあって、さらにトップエリートの証しであった。

起源を辿ると、最初は西南戦争直後の明治十一年、陸軍士官学校の第一回卒業式にて明治天皇が二人の優等生に対して、自ら恩賜の刻印の入った洋式軍刀を与えたことによる。それからは、それぞれの軍学校で優等生に恩賜品が与えられる習慣ができあがった。

恩賜品は各学校、時代によって様々であった。陸軍大学校でも、最初は軍刀ではなく、望遠鏡が恩賜品であった。陸軍士官学校、幼年学校では、銀時計が、海軍大学校では長剣、海軍兵学校では短剣が授けられていた。陸大、海大、それに陸軍士官学校での授与には天皇自らが当った。他の各学校の授与では、代理の侍従武官や皇族が手渡した。

2　一般兵を募る「徴兵制」の仕組み

「国民皆兵」の歴史

太平洋戦争開始時、日本の軍人や兵士は陸海合わせて総計で約三八〇万人いた。そして終戦前年の昭和十九年には、その数、何と八〇〇万人にも膨れ上がっていた。当時の日本の人口が約七五〇〇万人だったから、十分の一以上の国民が兵士となっていたことになる。

その兵士全体の内、職業軍人の数は陸軍の場合およそ五万人ほどと推測される。つまりそのほとんどが徴兵によって採られた一兵卒であった。

日本国民全体に兵役の義務が課せられたのは明治二十二年、大日本帝国憲法発布に伴って徴兵令が改正されたことによる。「満十七歳より満四十歳までの男子はすべて兵役に服するの義務がある」と。それまでの徴兵令には、免役条項が多く徴兵逃れが数多く出ていた。それを山縣有朋が抜本的に改正し、文字通り国民皆兵の徴兵制を完成させた。

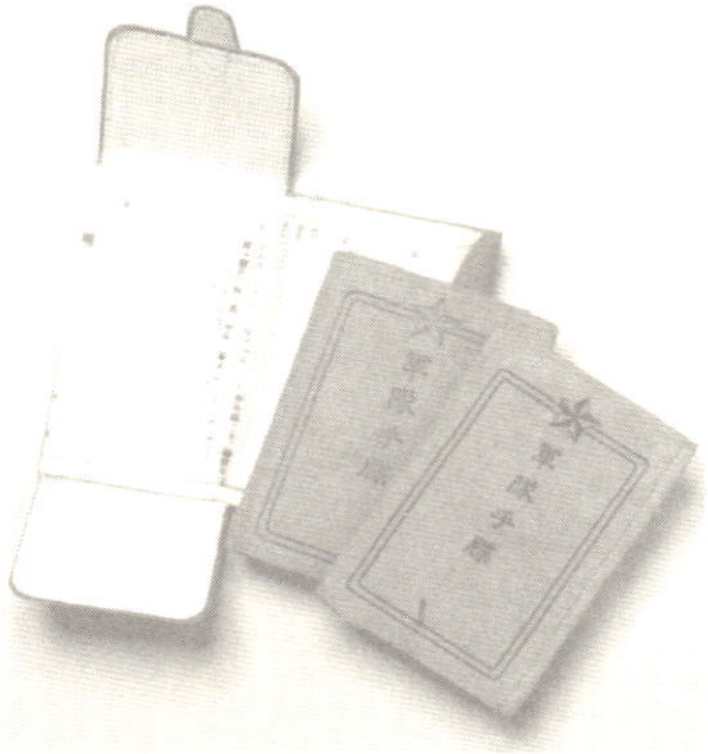

旧日本陸軍兵士の持つ軍隊手帳

山縣は、当時の清国との政治的、軍事的緊張により、兵士増員の必要性を感じてのことであった。

徴兵義務が課せられるに当たって、当初は江戸時代の侍である士族から、「武器を持って戦うのは侍に限るべきであり、百姓に兵隊は務まらぬ」と強い反発があったという。

事実、当時、徴兵された兵隊たちのほとんどが、戦争で戦うということの意味を全く理解できていなかった。訓練と言えばせいぜい鉄砲の撃ち方を教わる程度。字が読めない者も多く、旧制中学を出ている者を、急遽間に合わせの大隊長に任命し、字が読めない兵士たちに絵を描いて戦術を説明する、そんなお粗末な状況であった。

やがて明治二十七年に日清戦争が起こるのだが、徴兵で清国に出征した兵士たちは何とも牧歌的な戦いをしていたようだ。彼らのほとんどが農村出身であり、朝鮮半島を北上していく際、現地の畑で農作業をしているのに出会ったりすると、隊列から離れていき彼らを手伝ったなどという光景が見られたという。略奪行為などほとんどなく、食物が欲しい時は金銭を渡して農作物をもらったりしていた。逆に言えば、それほど規律も乱れておらず、ある意味、統一の取れた軍隊だった。

二年の兵役、五年の予備役

通常の徴兵制は（戦時になると変わっていくのだが）、満二十歳になると徴兵検査を受けて新兵として入隊することとなる。入隊して二年間（ただし海軍は三年間）、兵役に就かなければならなかった。除隊後も五年四ヶ月間（海軍は四年間）は、予備役として登録され、ひとたび戦争が始まれば動員され、戦場に送られる状態にあった。太平洋戦争開戦後は陸軍は十五年四ヶ月、海軍は十二年に拡大されている。

徴兵検査は、自分の本籍地にある徴募区、検査区で、毎年四月十六日から七月三十一日の間に受けることになる。身体検査によって、現役として徴集する者、予備徴員とする者、兵役に適さない者、適否を判定し難い者の四つに区分された。

現役に適する者は、まず身長一五二センチ以上（昭和十五年改定後）であること、そして胸囲が身長の半分以上、筋骨が薄弱でなく、両眼の裸眼視力が〇・六以上、特記す

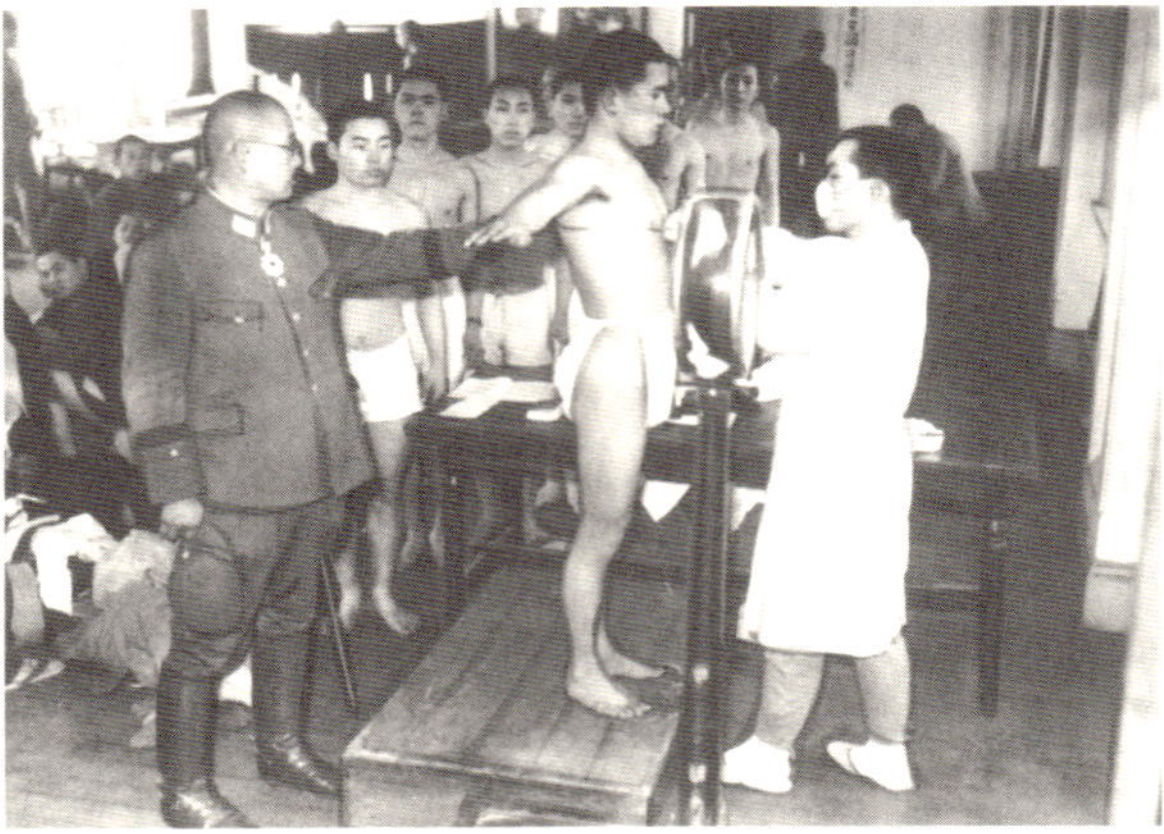

徴兵検査の様子（昭和十六年時）

る疾病その他身体または精神の異常がない者。それらの者を甲種とした。そして甲種に至らないが現役に適する者を乙種（第一乙種と第二乙種に分かれていた）。以下、障害身体検査規則により現役に適さない者を丙種、身長一四五センチ未満及び疾病その他身体または精神に異常がある者は兵役に適さないとして丁種と、それぞれランク付けされた。また疾病あるいは病後などのため兵役の適否を判定し難い者は戊種として、翌年改めて検査を受けさせられた。

徴兵検査には「M検」なる、生殖器と肛門の検査があった。検査場の公衆の面前で一人ずつ順番に裸体をさらし医者の触診を受けるのだ。その後は、後ろ向きに床に四つんばいになって脚を伸ばし、肛門の検査を受けた。軍隊生活を送るに当たって、M検は性病や痔を診断するための医学的に必要な検査であった。

徴兵検査の結果は、これも時代によって多少の差異はあったが、平均すると約四割が甲種であったという。甲種以外の、例えば身長が少々足りなかったり、ひどい近眼であるなどといった場合に、乙種に回された。つまり、ほとんどが現役に適すると判断されていた。徴集されることのない丙、丁種はほんのわずかなものだった。もっとも、太平洋戦争末期の昭和十九年十月には、本土決戦に備えると称して総動員態勢が取られて、たとえ丁種であっても徴集されるようになっていたのだが。

よく映画やドラマなどの徴兵検査では、その場で医者が「甲種合格！」などと判定している場面が演じられている。しかし実際は、その場で判定が下されるなどということはなかった。結果は、後ほど知らされていた。なぜならその後、思想調査が行われたからである。社会主義思想者かどうか、憲兵が身辺調査を行っていたのだ。

陸軍の場合、徴兵検査で現役適格となった者たちは、本籍地にある原隊に入隊する。そこで、敬礼の仕方、命令の受け方、行進訓練、鉄砲の撃ち方、それに「軍人勅諭」を教えられ、二年間の軍隊生活を送ることになる。この二年が明けると、予備役となり、

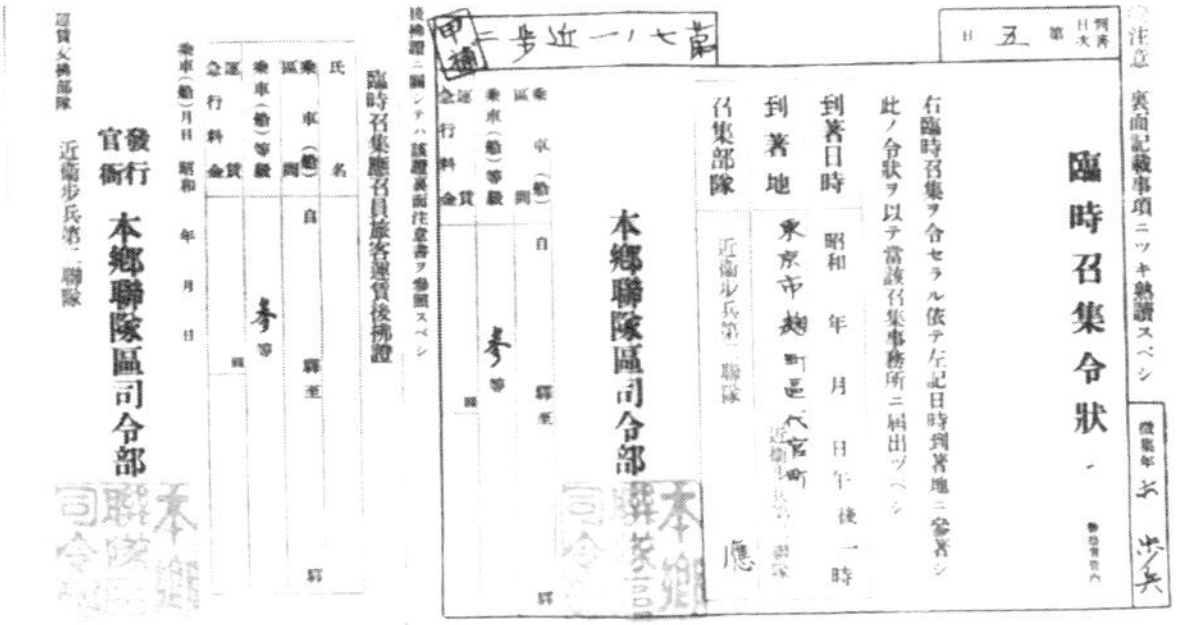
注意　裏面記載事項ニツキ熟讀スベシ

臨時召集令狀

右臨時召集ヲ令セラル依テ左記日時到著地ニ參著シ此ノ令狀ヲ以テ當該召集事務所ニ屆出ヅベシ

到著日時　昭和　年　月　日午後一時

到著地　東京市麹町區代官町

召集部隊　近衛歩兵第二聯隊

本郷聯隊區司令部

臨時召集應召員旅客運賃後拂證

氏名

乘車（船）區間　自　驛　至　驛

乘車（船）等級　參等

運賃　急行料金

乘車（船）月日　昭和　年　月　日

發行官衙　本郷聯隊區司令部

運賃支拂部隊　近衛歩兵第二聯隊

「赤紙」と呼ばれた臨時召集令状

故郷に帰される。ただし戦時であれば、そのまま三年、四年と留まることにもなる。

また二年の軍隊生活を終えて家に帰れたからといっても、建て前としては四十歳までは国民兵として登録されているから、また呼び出しがかかることになった。こうしたときの召集令状が、いわゆる「赤紙」というやつである。

兵士の動員政策を決めていたのは、参謀本部にあった編制動員課という部署であった。大本営が作る作戦に合わせて、その必要な人員数の動員計画を立て召集していた。

しかし当時の動員課の資料を見ると、ずいぶんいい加減な動員が行われていたことがわかる。昭和十八年には一〇〇〇万人からの兵士がいたほどである。コンピュータもない時代、手当たり次第に召集令状を出すしかなかった。だから中には、こんな例もあった。

その人物は、昭和十四年のノモンハン事件の時、召集を受けた。壊滅状態に近いノモンハンの戦場において、何とか彼は命からがら生還することができたのである。家に戻り、ようやく落ち着いて、妻帯し、子供もできた。三十歳を過ぎ、一度は九死に一生を得た戦場に赴いているのだから、まさかまた召集されることはないだろうと高をくくっていた。ところが昭和十九年に、再び、今度はニューギニア行きの召集を受けたのである……。

赤紙は、生きている限り何度でも舞い込んできたのだ。

兵役免除、お目こぼし、徴兵逃れ……

少なくとも二十歳になれば国民（男子）の全員が検査を受け、身体、精神に異常がない適格者は兵役の義務を負わなければならないのだが、中には例外の免除もあった。

まず二十六歳以下の高等教育在学中の者は徴集を免除された。ただし、それは就学が終るまでの猶予期間であった。

しかし、その猶予の特権も戦争が泥沼化していく昭和十八年になると「在学徴集延期臨時特例」が公布され、大学等在学を理由とする徴集猶予は廃止されてしまう。深刻な下士官不足が背景にあった。そのため、この年、適齢に達した学生は急遽徴兵検査を受け、十二月一日付けで入隊させられることになった。これが第一回学徒出陣である。

唯一兵役を免除される特異な存在もあった。それは、高等文官試験を通った若い高級官僚たちである。彼らは、いわば次の時代の国家政策を担うエリート予備軍である。人材として戦場に送るわけにいかないと見なされていたのだ。

また、そうした正規の免除とは別に、いわゆる〝お目こぼし〟という裏の事情も結構あったようだ。有力者の子弟が多かったとか。

例えば、ある陸軍首脳には三人の息子がいたというが、誰一人戦死していない。長男は、朝鮮で終戦まで憲兵をやっていて、戦火とは無縁で過ごしている。次男は東京帝大の航空科を出たあと航空機会社で飛行機の設計技師をしていた。特別要員という枠組みだった。三男は陸軍士官学校に在学中に終戦を迎えている。三人の息子たちの処遇には、陸軍の担当者の意図があるとも噂された。

また陸軍省軍務局軍事課にいたある将校に取材をした際、こんな話を聞いたこともある。曰く「東條が首相を辞めたのは、十九年七月十八日ですが、その日の『木戸幸一日記』をよく読んでごらんなさい。実は、裏に面白いことが隠されているんですよ」と。「どういうことですか」と問うと、「その日、木戸（内大臣）が東條の家に行っています。表向きその訪問は、陛下のねぎらいの言葉を東條に伝えに行ったことになっている。しかし実は、木戸は東條に、彼の辞職後も自分の関係者の〝お目こぼし〟をしてもらえるかどうかを確認しに行ったんです」……。後で読み返してみると、確かに『木戸日記』はその日、東條を訪ねたと書いてあった。なるほど、ありえそうな話だと思った。しかし、このエピソードは反木戸の感情から発せられているとも考えられる。

さらに東條は、〝お目こぼし〟の逆のケースも行っていたようである。

戦後、東海大学の総長となった松前重義は、戦時中も一貫して終戦工作を説いていた硬骨漢であった。逓信省の勅任官であった彼は、一度、海軍首脳部の前で東條内閣批判を痛烈にブッたことがあった。それが東條の逆鱗に触れたのである。見せしめのために二等兵として召集され、南方に送られてしまったのだ。松前を特異な例としないために、明治三十四年生まれの松前と同年代の該当者が何人か戦場に送られている。

〝お目こぼし〟にしろ、復讐に使われるにしろ、東條は情実人事をよく行っていたようである。

さて、このような兵役免除、〝お目こぼし〟の他に、〝徴兵逃れ〟というのも少なくなかった。

〝徴兵逃れ〟でよく聞く風聞がある。それは検査前に醬油を大量に飲むこと。醬油は塩分が強く、大量に飲むと体を壊し、検査に引っ掛かるのだという。本当に体を壊し検査に引っ掛かるのかどうか、どれだけ実践した人がいたのか、定かなところはわからないが、話としてはよく伝わっている。またさらには、自傷行為などもあった。

しかし、実際に徴兵逃れで最も多かったのは、単純に行方をくらませてしまうことだった。昭和十七年、「所在不明と逃亡者」は八七七八名いた。ただ、蒸発してしまい、本人は兵隊に行かなくて済んだろうが、残された家族はいい迷惑をこうむることになる。戦時下では「非国民」のレッテルを貼られてしまうことになった。

こうした兵隊に行かない一部の例外的な者たちもいたが、大多数の日本人は兵役に就いたのである。時代は「挙国一致」「尽忠報国」が叫ばれ、皇国のため、臣民として、兵隊になるのは名誉なこと、成人男子の証しとされていた。誰でも、それが当たり前という風潮だったのだ。

3　帝国陸海軍の機構図

旧日本軍の兵士たちがいかにして生まれていったか、一通り押さえたところで、次に軍の組織自体がどのように成り立っていたかを見ていくことにしよう。

「大本営」とは何か

旧日本軍「軍部」は、頂点に位置する天皇の下、大きく二つの構造からできていた。「軍令」と「軍政」である。

「軍令」というのは、一言でいえば「戦争方針を決定する」部門のこと。通称「統帥部」と呼ばれた。「大本営」と言い換えてもいいだろう。「大本営」とは、戦時に設置される最高統帥機構を指している。

一方の「軍政」は、陸軍省と海軍省からなる。統帥部に対して、「軍政」の陸軍省、海軍省は、陸軍大臣、海軍大臣の下、飽くまで行政機関の一つという位置付けであった。

統帥部とは、天皇が持つ統帥権を付与された機関である。

この統帥部は陸軍と海軍の二つに分かれていた。陸軍は「参謀本部」といい、海軍は「軍令部」と言った。参謀本部は参謀総長以下、軍令部は軍令部総長以下、一糸乱れぬ命令系統が出来上がっていた。

太平洋戦争下では、日中戦争後の昭和十二年に「大本営」が設置されている。「大本営陸軍部」と「参謀本部」、「大本営海軍部」と「軍令部」、それぞれ用語として両方使われた。紛らわしいのであるが、どちらもほぼ同義語と考えていい（ただ、一部、参謀本部、軍令部の者で「大本営」には属さない者もいた）。

参謀本部には、作戦部、情報部、運輸通信部、戦争指導班などが、軍令部には、作戦部、軍備部、情報部などがあり、大本営は全体でおよそ二〇〇人ほどの幕僚が詰めていた。

大本営にいること自体、キャリア組の証しであったが、その中でも参謀本部、軍令部ともに、ヒエラルキーのトップにあったのが「作戦部」である。作戦部にいた二〇人前後の幕僚は、特にエリート中のエリート、実際に軍を動かし、戦略を決定していた存在であった。いわゆる「軍部」といった時、指されるのは、彼ら「作戦部」の連中のことである。陸大、海大の成績で一番から五番までしか入れないという暗黙のルールもあった。しかもその人事は陸軍で言えば陸軍省人事局の管轄ではなく、参謀次長が握っていた。

参謀本部は永田町の三宅坂にあり、作戦部はその建物の二階の一室にあった。作戦部の部屋の入り口には、二十四時間、衛兵が立ち、作戦部以外の者は誰も入れなかったという。たとえ、同じ参謀本部の「情報部」将校が行っても決して入れてはくれなかった。それほど徹底して秘密を厳守している少数集団だったのである。

一方の「軍政」である陸軍省、海軍省であるが、彼らにしても高級軍人であることは変わりなかった。特に陸軍省の軍務局軍務課（昭和十一年に新設）は、国内、対外政策の立案をする重要なポストであり、優秀な人材が配された。海軍省は昭和十四年、軍務局に第四課を新設した。軍の政策立案をしていた彼らも、「軍部」といって指される内の一つであった。

念を押しておきたいのは、「参謀本部」と「陸軍省」、「軍令部」と「海軍省」は全く別の組織だということである。一方は「統帥権」を付与された組織であり、もう一方は「統治権」の内にある組織であった。

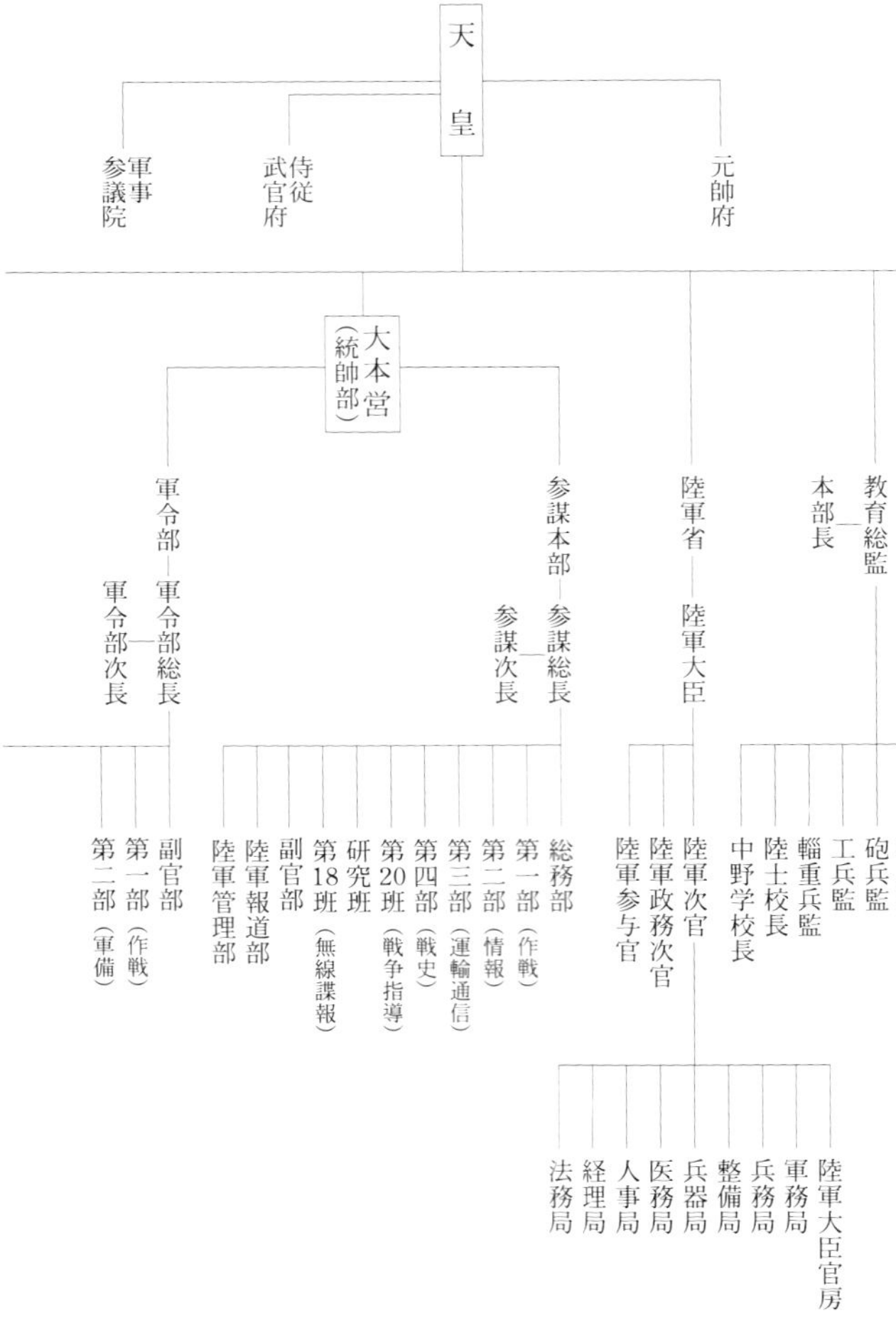
天皇
元帥府
侍従武官府
軍事参議院
陸軍航空総監
教育総監
本部長
陸軍省
陸軍大臣
大本営（統帥部）
参謀本部
参謀総長
参謀次長
軍令部
軍令部総長
軍令部次長
総務部
騎兵監
砲兵監
工兵監
輜重兵監
陸士校長
中野学校長
陸軍次官
陸軍政務次官
陸軍参与官
陸軍大臣官房
軍務局
兵務局
整備局
兵器局
医務局
人事局
経理局
法務局
総務部
第一部（作戦）
第二部（情報）
第三部（運輸通信）
第四部（戦史）
第20班（戦争指導）
研究班
第18班（無線諜報）
副官部
陸軍報道部
陸軍管理部
副官部
第一部（作戦）
第二部（軍備）
陸海軍中央組織図（昭和十六年開戦時）

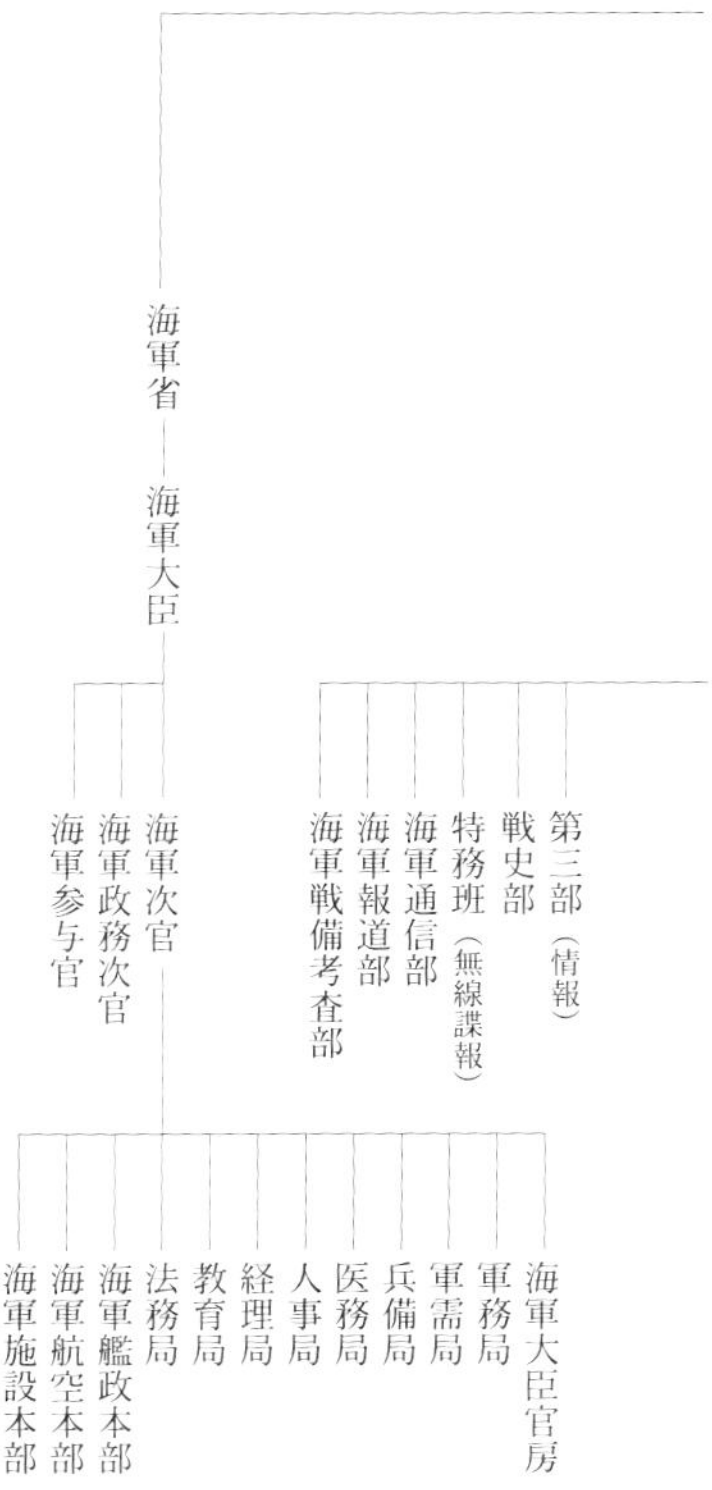

ただ、陸海軍とも、トップの軍人たちは、今日まで陸軍省、海軍省にいた人物が、明日には統帥部に異動するといった、「軍令」と「軍政」の両方を行き来する人事はよくあった。「軍令」「軍政」と属する組織は違えども、陸軍軍人は陸軍軍人であり、海軍軍人は海軍軍人なのである。

だが、同じ軍人とはいえ、「軍令」を行う部署と「軍政」を行う部署とでは、仕事の考え方がまるで違う。頭の切り替えが必要であった。それぞれ苦労していたようである。どのように頭を切り替えていったかは、東條英機を例に見るといいだろう。わかりやすい行動をとっている。

首相であり陸軍大臣でもあった東條は、さらに昭和十九年二月、参謀総長も兼務することになる。「軍政」の長であり、「軍令」の長にも成りおおせたのであった。陸軍省と参謀本部はどちらも三宅坂にあったが、少しだけ離れていた。東條は、その二つを頻繁に行き来することになった。その時、彼はこんな行動をとっていた。

陸軍省にいる間は陸軍大臣としての襟章をつけて執務をする。そして参謀本部に向かい、その建物に着くと、陸軍省の襟章などは全て取り外し、わざわざ参謀本部の参謀肩章に付け替え、それから中に入っていったという。

ずいぶん面倒なことを行っていたと思うが、そうすることによって東條なりに「人格を二分する」とケジメをつけていたのだ。

「統帥権の干犯を許さない!」

ここで「統帥権」と「統治権」についての問題を、きちんと整理しておくことにしよう。

統帥権と統治権は両方とも、天皇の大権として付与されたものであった。この二つは、簡単にいってしまえば、「軍事」権と「政治」権のことである。この二者の調整により、国策は決定されていた。

昭和十二年には「大本営政府連絡会議」という場が作られ、そこで両者の意見調整が行われた。会議の出席者は、大本営の側からは参謀総長、軍令部総長、政府の側からは首相、陸相、外相、海相、蔵相、企画院総裁であった。もっとも議題によって出席者はかわった。ただし事務方は陸海軍省の軍務局が握っていた。

ここで決定した議案は次に天皇の列する「御前会議」にかけられる。しかし、御前会議は飽くまで決定事項を追認する場に過ぎず、大本営政府連絡会議が、実質上の国策決定の最高機関であった。

といっても大本営側は「統帥権の干犯は許さない」の名目で、軍事作戦や軍事行動計画について、一切その内容を洩らさずに独断で決定してしまうようになっていく。むしろ軍事作戦を円滑に行うためにいかに政治の側を利用するかという目的で、この会議を使うようになっていった。

例えば、アメリカとの開戦を前に、東郷茂徳《しげのり》外相が「開戦日はいつか」と質しても、大本営は「教えられない」とつっぱねるだけであったという。戦争開始後も、どのような作戦を進めているのか、決して明かすことはなく、「政府はもっと船を造れ」「飛行機を造れ」と催促するだけになっていた。

明らかに、「統帥権」は「統治権」より上だという考えが支配していったのである。「統帥権の干犯」という言葉は、いわば〝魔法の杖〟であったのだ。

シビリアン・コントロール（文民統制）が効かなくなっている、国家として異常な状況にあったといっていいだろう。

戦略単位としての「師団」と「艦隊」

中枢である「軍部」を頂点にして、軍内ヒエラルキーのピラミッドは裾野を広げていた。では、末端の一般兵士たちが属していた「隊」はどのような構造でできていたのか。軍隊における〝単位〟を最後に見ておくことにしよう。

職業軍人は士官学校を卒業すると、原隊で少尉に任官するわけだが、その時はまだ見習い士官である。まだ部隊を指揮するには至らない。やがて二、三年経つ内に、先輩将校から「じゃあ、お前そろそろ大隊を見てみるか」などと声が掛かる。そこで初めて、部下を持つ隊長となることができた。

陸軍における隊の基本は「中隊」である。戦時には中隊が三つか四つの小隊に、小隊がさらに分隊に分けられる。「中隊」は平時一〇〇人ほどの編制だ。中隊が三つから四つ集まると、「大隊」になる。これで三〇〇人規模である。この大隊が三つに機関銃隊ほか二つの中隊が加わって集まると「連隊」が構成されるのである。連隊になると、二〇〇〇人余の規模となる。つまり連隊長というと、二〇〇〇人の部下を持つことになる。連隊長になることは、たいへんな出世であった。戦時には中隊が二五〇人規模になるなど、増員されることになる。

さらに、連隊の上に「師団」という単位があった。連隊が四つか五つ集まって構成された。師団になると司令部やら工兵隊や高射砲隊とかいくつかの部隊も含まれるので一挙に一万人規模となる。

師団が最初に編制されたのは、明治二十一年、師団数は六つであった。第一が東京、第二が仙台、第三が名古屋、第四が大阪、第五が広島、第六が熊本に置かれた。それまでの全国六鎮台が基本となっていた。明治二十四年、東京に近衛師団が編制され、以後、時代が進むにつれて増えていき、日中戦争開始前には十七個師団、太平洋戦争開始時の昭和十六年には四十九個師団、終結時には一六九個師団を数えるまでになっていた。

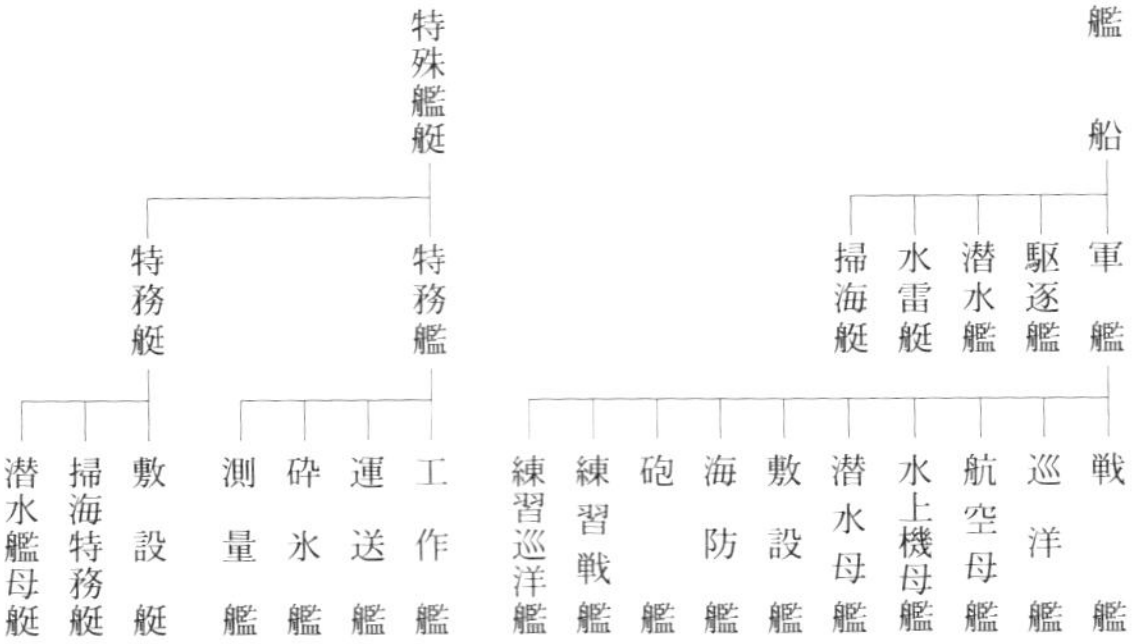

艦船の種類

もっとも、縁起の悪い数字の部隊は存在しなかったし、戦争末期の師団編制ではほとんど〝中抜け〟状態で、人員もそろわない、参謀本部作戦部が机上の数合わせをするためだけに存在しているようなものもあった。

また、師団には至らないが、連隊二個ほどで「旅団」とする単位もあった。

連隊長で佐官クラス、旅団長で大佐か少将、師団長は中将クラスの者が就いた。

一方、陸軍の戦略単位が「師団」であるのに対して、海軍の戦略単位は「艦隊」であった。艦隊とは、軍艦二隻以上を以って編制した部隊をいう。編制に応じて戦隊に区分した。

日本海軍で軍艦とは、戦艦、巡洋艦、航空母艦、水上機母艦、潜水母艦、敷設艦、海防艦、砲艦などである。艦首には菊花の御紋章を戴いた。太平洋戦争中の戦艦は、「陸奥」「長門」や、戦争中に完成した「大和」「武蔵」など十二隻。重巡洋艦は十八隻、空母は十隻あった。ちなみに駆逐艦や潜水艦は、軍艦とは数えられていなかった。

そして、艦隊二個以上を以って編制し、これに艦船部隊を編入したものを「連合艦隊」と定義したのである。

そもそも連合艦隊とは、日清、日露戦争時に、戦時編制としてできたものであった。それが昭和八年に常置制となった。太平洋戦争時は、九つの艦隊と真珠湾攻撃のため編制された一つの航空艦隊が存在した。連合艦隊司令長官は、天皇に直隷していた。

こうした用語で一つだけ注記しておかなければならない。「編制」と「編成」の使い分けである。

「編制」は、軍令に規定された軍の永続性を有する組織のこと。「大本営」「師団」「連隊」「連合艦隊」などの組織内容について定めた場合に使う。「編成」は、ある目的のため所定の編制を取ったり、臨時に部隊を組織する場合をいう。例えば「第十連隊の編成がなされた」とか「南方への臨時派遣隊を編成」といった具合である。

基礎知識2

大東亜共栄圏、八紘一宇

二つの言葉とも、日本が太平洋戦争において、アジアを制圧する際に、大義名分として用いたスローガンである。

「大東亜共栄圏」は欧米列強の勢力を排除して、日本を盟主とする満州、中国、アジア諸民族の共存共栄を謳ったもの。そもそもは昭和十五年に、外相であった松岡洋右《ようすけ》が記者会見で発した言葉に由来する。

「八紘一宇《はっこういちう》」の方は、『日本書紀』の神武天皇が大和橿原の地に都を定めた詔の中に出てくる言葉が出典であった。「八紘」とは「四方と四隅」を表し、八方のはるかに遠い果てを指す。「一宇」は一つの家のことである。つまり、この言葉は「地の果てまで一つの家のようにまとめて天皇の統治下におく」という意味となる。

どちらの言葉とも、東條英機や軍部などは演説でよく使った。また新聞、ラジオ、あるいは職場や学校などでも、戦争の意義を説明するものとして日常的に使われていた。

第二章

開戦に至るまでのターニングポイント

昭和十六年十月、東條英機内閣が発足

　太平洋戦争開戦直前の日米の戦力比は、陸軍省戦備課が内々に試算すると、その総合力は何と一対一〇であったという。米国を相手に戦争をするに当って、首相、陸相の東條英機が、その国力差、戦力比の分析に、いかに甘い考えを持っていたかが今では明らかになっている。

「一対一〇」という数字自体もだいぶ身びいきがなされて出された数字だったが、データをもとに軍事課では、戦争開始以降の日本の潜在的な国力、また太平洋にすぐに動員できる地の利も考慮すれば、「一対四」が妥当な数字だと判断し、改めて東條に報告がなされた。東條はその数字を、「物理的な戦力比が一対四なら、日本は人の精神力で勝っているはずだから、五分五分で戦える」、そう結論づけてしまった……。

「日本はなぜ無謀な戦争を始めたのか」、「責任は誰にあるのか」、太平洋戦史を顧みるに当って、まずはこのあまりにも単純な疑問を考えていきたい。

さて、太平洋戦争の歴史を語る際、どの時点から検証していくべきか、迷うところである。「高度国防国家」の考えが生まれた第一次大戦後の大正期か、陸軍の暴走が始まった昭和六年の満州事変か、あるいは昭和八年の国際連盟の脱退時からか、いろいろ考えはあるだろう。しかし、本書はあえて「二・二六事件」から始めたい。

「二・二六事件」というテロが、明らかに時代の空気を歪ませてしまったと思うからだ。テロという暴力が、軍人、政治家はもちろんのこと、マスコミ、言論人たちも、そして日本国民全体の神経を決定的に麻痺させていった。

私には、この〝暴力に対する恐怖心〟が、日本を開戦への道へと一気に突き進ませていったように思えてならないのである。

1 発言せざる天皇が怒った「二・二六事件」

「天皇機関説」から「神権説」へ

「二・二六事件」が起きたのは、昭和十一年二月のこと。この時、昭和天皇は三十六歳であった。

天皇は、陸軍の青年将校が「天皇の、君側《くんそく》の奸《かん》（天皇のそばにいて国民の思いを曲げて伝える者）を討つ」といって決起したと聞いた時、「断固、青年将校を討伐せよ」と強く意思表示をしたという。決起将校のいう「君側の奸」は、天皇にとっては「股肱《ここう》の臣（最も頼りとする臣）」であったのだ。


テロは、何も「二・二六」が始めてではなかった。それに先立つ四年前、「血盟団事件」、それに「五・一五事件」が、日本を震撼させていた。

「五・一五事件」では、海軍士官と陸軍士官候補生、農民有志らにより首相の犬養毅《いぬかいつよし》が惨殺された。にも拘らず、当時の一般世論は加害者に同情的な声を多く寄せていた。

年若い彼らが、法廷で「自分たちは犠牲となるのも覚悟の上、農民を貧しさから解放し、日本を天皇親政の国家にしたいがために立ち上がった」と涙ながらに訴えると、多くの国民から減刑嘆願運動さえ起こった。マスコミもそれを煽り立て、「動機が正しければ、道理に反することも仕方ない」というような論調が出来上がっていった。日本国中に一種異様な空気が生まれていったのである。

どうしてそんな異様な空気が生まれていったのか、当時の世相を顧みてみると、その理由の一端が窺える。

第一次世界大戦の戦後恐慌で株価が暴落、取り付け騒ぎが起き、支払いを停止する銀行も現れていた。追い討ちをかけるように、大正十二年には関東大震災が襲う。国民生活の疲弊は深刻化していたのだ。昭和に入ると、世界恐慌の波を受けて経済基盤の弱い日本は、たちまち混乱状態になった。

「五・一五事件」の前年には満州事変が起きていた。関東軍は何の承認もないまま勝手に満蒙地域に兵を進め、満州国を建国した。中国の提訴により、リットン調査団がやって来て、満州国からの撤退などを要求するも、日本はこれを拒否。昭和八年には国際連盟を脱退してしまう……。

だが、これら軍の暴走、国際ルールを無視した傍若無人ぶりにも、国民は快哉《かいさい》を叫んでいたのである。

戦後政治の立役者となった吉田茂は、この頃の日本を称して「変調をきたしていった時代」と評していた。確かに、後世の我々から見れば、日本全体が常軌を逸していた時代と見えよう。

またちょうどこの頃、象徴的な社会問題が世間を騒がせていた。憲法学者、美濃部《みのべ》達《たつ》吉《きち》による「天皇機関説」問題だ。天皇を国家の一機関と見る美濃部の学説を、貴族院で菊池武夫議員が「不敬」に当ると指摘したのである。

しかし、天皇機関説は言ってみれば、学問上では当たり前の認識として捉えられていた。天皇自身が、側近に「美濃部の理論でいいではないか」と洩らしていたほどであった。しかし、それが通じないほどヒステリックな社会状況になっていたのである。

天皇機関説は、貴族院に引き続き衆議院でも「国体に反する」と決議された。文部省は、以後、この説を採る学者たちを教壇から一掃してしまう。続いて文部省は、それに代わって「国体明徴論《こくたいめいちょう》」を徹底して指導するよう各学校に通達したのであった。「天皇は国家の一機関」なのではなく、「天皇があって国家がある」とする説である。

さらに「国体明徴論」は、「天皇神権説」へとエスカレートしていった。

天皇神権説とは、昭和十二年五月に文部省から刊行された『国体の本義』という冊子に符合する考え方であった。

「日本人は天皇の臣民であり、たとえ一身を賭しても天皇に忠で奉仕しなければならない。西洋諸国とは異なり、日本では天皇と臣民との関係は、一つの根源から生まれ、一体となって栄えてきた。これが即ち日本の大道であり、日本人の進むべき道の根本である。この一体の道を現じ、日本は他国に例を見出すことがないほど優れて栄えて来たのだ。ここにこそ世界無比の日本の国体があるのであって、欧米思想に毒されずに、世界に冠たる日本の伝統、文化を守り、全てのことはこの国体の道に帰して考えるべきである……」

と書かれていた。いわば皇道主義の教典のようなものである。冷静に読むと、何やら、今の北朝鮮の態に似ていなくもない。

この『国体の本義』は、中等学校の多くで副読本としても使われ、高等学校、軍関係の入学試験では必読書ともされた。

こうした天皇神権説の浸透が土壌にあり、この時代、狂信的に「天皇親政」を信奉する軍人、右翼が多く台頭してきたのであった。

「天皇親政」信奉者の彼らは、軍の統帥部と内閣に付託している二つの「大権」を、本来持つべき天皇に還すべきである、と主張した。天皇自身が直接、軍事、政治を指導し、自ら大命降下してくれる「親政」を望んだのである。

「二・二六事件」を起こした青年将校たちも、そうした論の忠実な一派であった。

「大善」をなした青年将校たち

昭和十年前後、天皇親政を唱える軍人たちの間でよく使われた言葉があった。「大善」、「小善」という二つの言葉である。

天皇に忠を尽くす際には、「大善」と「小善」、二種類の行動の取り方があるというのだ。「小善」は、軍人勅諭に書かれてある通り天皇に忠実に仕えること。そして「大善」とは、「陛下の大御心《おおみこころ》に沿って、〝一歩前に出て〟お仕えすること」。彼らにとっては、もちろん「大善」の方が優位であると考えられていた。しかし、それは裏を返せば、自分たちで勝手に天皇の心情を察して、天皇のためになることなら何をしてもいいという解釈になる。たとえ、天皇の大権に叛くことでも、大きな意味で「大御心に沿っている」のなら、それも許されるとした。

「二・二六」での青年将校たちの決起は、彼らにしてみればまさに「大善」となる行動であった。

さて、「二・二六」を語るには、この頃の軍内にあった二つの派閥について押さえておかなければならないだろう。二つの派閥とは、天皇親政を急進的に望む「皇道派」と、もう一つは「統制派」である。

「統制派」は、日本の喫緊《きっきん》の問題は国家総力戦に見合う高度国防体制を作り上げることであり、それには合法的に軍部が権力を手に入れ、国家総動員体制、〝統制〟経済体制にしなければならぬ、との考えを持つ者たちであった。

統制派の者たちは陸軍上層部に多く、非合法活動を徹底して排除した。対ソ戦よりもむしろ中国制圧に比重を置く実利的な考え方を持っていた。代表的な人物として教育総監の渡辺錠太郎《じょうたろう》、陸軍省軍務局長の永田鉄山《てつざん》などがあげられよう。

それに対して皇道派は、陸軍士官学校を卒業したばかりの、原隊付き勤務にあった青年将校、二十代半ばから三十代の血気盛んな若者が多かった。「今の腐敗した日本は天皇の意に沿う国家ではない」と、理想的な国家を作るためには非合法活動も辞さない、「大善」を信奉する者たちであった。元陸相の荒木貞夫、元参謀次長の真崎甚三郎《まざきじんざぶろう》らがリーダーとなり、青年将校たちを焚きつけていた。天皇制打倒を説く共産主義国家のソ連を目下の敵とした。

統制派と皇道派の二派がはっきりと対立の姿勢を見せ始めるのは、昭和七年の頃である。人事をめぐって反目は次第に激しく、感情的になっていく。

そして昭和十年八月、ついに事件は起こった。真崎が統制派の陸軍幹部による人事で要職から外されたことをきっかけに、皇道派将校たちの怒りが頂点に達した。怒った将校の一人、相沢三郎中佐が、白昼堂々と陸軍省軍務局長室に乗り込み、軍刀で永田鉄山を斬殺したのである。

この相沢の行動が呼び水となり、一気に他の皇道派将校にも火をつけた。東京・麻布にあった第一師団歩兵第一連隊、第三連隊、近衛師団歩兵第三連隊などの将校、下士官、兵士およそ一五〇〇人によるクーデターへとなっていったのである。

「二・二六事件」そのものについては既に多くの書物、ドラマなどで描かれているから、改めてここで詳述するつもりはない。

むしろ本書で押さえておきたいのは、「事件」後の影響力である。

内大臣秘書官長の木戸幸一による『木戸幸一日記』には、「事件」時の天皇の発言としてこう書かれている。

「今回のことは精神の如何を問はず甚だ不本意なり」と――。

天皇は、気丈にも「断固、討伐」を言い続けたわけだが、肉体的恐怖は想像を絶していたとも思う。

なぜなら岡田啓介首相以下、六人の要人たちが狙われ、その内、内大臣の斎藤実《まこと》は四十七ヶ所も拳銃や機関銃を撃ちこまれている。高橋是清《これきよ》蔵相は撃たれた上に左腕を切られた。教育総監の渡辺錠太郎は夫人の前で惨殺され、という具合に、「天皇親政」の大善を理由にして、三人が虐殺された。三人とも機関銃で撃たれたあと、滅多切りにされ、肉片が飛び散っていたという。それは酷い光景だった。

そして以後、「二・二六」によって刻みつけられた〝テロの恐怖〟はあらゆる場面、至るところで影響力を及ぼしていくことになる。事実、右翼団体員による海軍大臣米内光政《よないみつまさ》の襲撃計画などといったテロ未遂、またそれに見せかけた脅しなどは、その後もよく起こっている。

後に「三国同盟」反対を公言し、右翼に狙われていた海軍次官の山本五十六《いそろく》は、いつ殺されるかわからないからと、金庫の中にひそかに遺書をしまっていたという。また、のちに首相となった近衛文麿《このえふみまろ》など、テロに狙われないために、昭和七年の「血盟団事件」の首領である右翼の大物、井上日召《にっしょう》を用心棒として、わざわざ荻窪の自宅、荻外荘《てきがいそう》に住まわせるほどだった。

そして、〝テロの恐怖〟が広がったのをいいことに、軍はそれを巧みに利用していく。「軍のいうことを聞かなければ、また強権発動するぞ……」と、暗に仄めかすのだ。

そうすると政治家たちはみな近衛のように腰が引けてしまい、軍に対して何もいえなくなってしまう。軍の強硬な発言の裏に「暴力」があると、怖れをなしてしまったのである。

昭和七年の血盟団事件に端を発する〝恐怖の連鎖〟の極点としての「二・二六」、それは日本が開戦に至るまでの一つの大きなターニングポイントとなった。

もはや誰にも止められぬ「軍部」

青年将校の決起自体は失敗に終わったわけであるが、結果的に「二・二六事件」は、彼らが訴えていた通りの「軍主導」、とくに「陸軍主導」による国家体制の方向へと進ませることになった。

岡田啓介首相も襲撃されたが辛うじて難を逃れ、その後は外相だった広田弘毅《こうき》が首相となった。その際、「軍部大臣現役武官制」が復活している。

この「軍部大臣現役武官制」が、軍が政治にまで介入する〝伝家の宝刀〟となった。つまり合法的な暴力になったのである。

「軍部大臣現役武官制」とは、現役の軍人でなければ陸軍大臣、海軍大臣になれないという制度である。大正二年まではこの制度が取られていたのだが、その後は現役の軍人だけではなく、予備役の者でも大臣になれると改正されていた。それが、「二・二六事件」をきっかけに、二度と同じようなことが起こらないようにするためと称して、軍の内情をよく把握している現役の将官のみが大臣に就く、と戻したのである。

つまり、軍の気に入らない内閣ならば、陸軍大臣、海軍大臣を出さなければいいのだ。そうしたら組閣ができず、その内閣は潰れてしまう。軍は意のままに内閣を操れることとなり、圧倒的な権力を持つようになった。

翌十二年七月には、日本の支那北部派遣部隊が中国の華北で軍事行動を起こした。いわゆる盧溝橋《ろこうきょう》事件である。それを戦端に、日本軍は一気に中国国内に侵攻、日中戦争として一方的に戦線を拡大させていった。

軍の勝手な行動に対して、近衛内閣は、日中戦争を止めさせるよう、政治的に働きかけた。しかし、中国の国民政府の指導者である蔣介石と外交交渉で和平を結ぼうと努力する度に、ことごとく軍部に潰されてしまった。結局、政治家たちは軍部に何も言うことができず、最終的に、近衛は「爾後《じご》、国民政府（蔣介石）を対手《あいて》とせず」と声明するまでに至ってしまう。

また「二・二六」後、軍内では粛軍人事が行われ、統制派の幹部たちが軍内の一切を牛耳るようになっていた。彼らの意に沿う者のみが重用されていった。

例えば、「二・二六事件」が起きた時、〝洞ヶ峠〟を決め込まずに真っ先に「断固、叛乱将校たちを討伐すべき」と本省に電報を打ってきた人物が二人いた。仙台の第二師団長だった梅津美治郎《よしじろう》と、もう一人が関東軍憲兵隊司令官の東條英機である。その後、この二人はこれを評価されて栄達していく。梅津は本省に戻り陸軍次官に、東條は関東軍参謀長となっている。

東條にしても梅津にしても、何も決して無能だったというわけではない。ただ彼らは、あまりにも「軍人勅諭」一筋に無心無欲で励むだけで、広い視野からの価値判断ができない者たちであった。私には指導者たりえる人材ではなかったと思える。

この時、軍にも見識を持ち備えた人材は各所に存在していた。例えば、昭和十三年頃、アメリカの駐在武官をしていた山内正文。カンサスの陸軍大学に留学し十一位の成績で卒業するぐらいの秀才であった。山内は駐在武官時代、「アメリカとなんか戦えるわけがない」と何度も本省に忠告してきていた。やがて、それが東條に煙たがられて外地ばかりを転任することになる。山内の後にアメリカ駐在武官に就いた磯田三郎、あるいはロンドンの駐在武官であった辰巳栄一など、いずれも国際的な視野を持つバランス感覚の取れた者たちである。日中戦争不拡大派の多田駿《はやお》（参謀次長、不拡大派ゆえに追われる）などもそうした軍人であった。

だが、そうした人材は一切生かされず、中枢からすべて遠ざけられてしまっていた。

そしてもう一つ、「二・二六」は当時の日本のある状況に、大きな爪あとを残すことになる。それは「断固、青年将校を討伐せよ」と発言した天皇の存在である。天皇は、その後一切、語らぬ存在となったのである。まるで自らが意思表示することの意味の大きさを思い知り、それを怖れるかのように。

「大本営政府連絡会議」で決まった議案が「御前会議」で諮られる際も、「君臨すれども統治せず」と、天皇はより徹底して口を噤《つぐ》み、ただ追認するだけとなった。日米開戦が決まるまで、天皇は一貫して開戦に反対であったと思われるが、そうした意向も決して表に出すことはなかった。

あるいは歴史に「イフ」が許され、開戦前の時期、もし天皇が「断固、戦争に反対する」と語っていたらどうなっていたか……。のちに天皇は『昭和天皇独白録』の中で、もし自分が開戦に反対したら、「国内は必ず大内乱となり、私の信頼する周囲の者は殺され、私の生命も保証出来ない」状態になっただろうと言っている。私の生命はかまわないが、「今次の戦争に数倍する悲惨事」になったとも告白している。

皮肉なことに天皇の神格化は「二・二六」後、ますます進んでいくことになる。天皇を神格化することで、軍部が「統帥権」の権威付けにうまく利用していったのである。各学校で「御真影」を「奉護」するよう奉安殿が設置されていくのも昭和十二年のころからであった。

基礎知識3　軍人勅諭

明治十五年に、明治天皇が軍人に下した勅諭である。太平洋戦争中も、陸海軍ともに一貫して軍人の精神教育の基本とされた。

そもそもは、明治の陸軍卿、山縣有朋が、軍隊を天皇に直属のものと徹底させるために作った訓戒であった。起草は、当時の啓蒙的思想家の西周《あまね》に行わせている。何より「統帥権」の独立を明確にするのが目的であった。

全文は二六八六文字からなる。忠節、礼儀、武勇、信義、質素を軍人の基礎徳目とした内容であった。この長文は、末端の二等兵に至るまで軍の全将兵は丸暗記が強要され、徹底的に心身に根付かせられた。

また、軍人への精神教育の指標としては、昭和十六年一月に陸相の東條英機が、「戦陣訓」を示達している。こちらは戦場に臨む心得を謳ったものであった。「生きて虜囚の辱《はずかしめ》を受けず、死して罪禍の汚名を残すこと勿《なか》れ」は、有名な一節である。表現は作家の島崎藤村が推敲したとされる。この思想のために、多くの軍人、兵士たちが玉砕の憂き目にあったのである。

2　坂を転げ落ちるように――「真珠湾」に至るまで

「皇紀二六〇〇年」という年

昭和十二、十三、十四、十五年と、吉田茂のいう「変調した」日本は、昭和十六年十二月八日に至るまでの道を一気に突き進んでいくことになる。

軍部によって強引に進められた日中戦争は、十二年十二月までに上海、南京が陥落、その後も徐州、武漢と攻め落としていった。だが、蔣介石政府は、首都を重慶に移すなど、その都度戦線を奥へ奥へと引きずり込んでいく。日本は大陸の〝点と線〟を押さえるも、いいように〝面〟で翻弄されていた。また中国で戦いながら、北のソ連とも対峙し続け、十四年にはノモンハン事件が起きている。戦線は泥沼化していく一方であった。

また国際連盟を脱退して以降、日本は、国際社会の中で完全に孤立化していた。その日本に手を差し伸べてきた国があった。ヒトラー率いるナチス・ドイツである。ソ連を牽制する意味から昭和十一年、日独防共協定を締結。ところがドイツはそのソ連と不可侵条約を結び、その一週間後の一九三九（昭和十四）年九月一日には、ポーランドに侵攻し、第二次世界大戦が勃発する……。日本は体よくナチス・ドイツにふり回されることになった。

こうした「真珠湾攻撃」に至るまでの数年間で、私は昭和十五年という年に、あえて注目し、語っていきたい。この年は、「変調した」日本がピークに達した、非常に暗示的な年に思えるからだ。

昭和十五年――この年は「皇紀二六〇〇年」に当った。「皇紀」とは、『日本書紀』に記載されている、神武天皇が即位した年を元年とする紀元をいう。神話に基づいての年数であった。

日本建国二六〇〇年を祝い、日本各地で提灯行列が行われたり、奉祝会が開かれるなどお祭りムードに沸いていた。それはまるで鬱屈した空気を振り払うかのように。

十一月十日には、宮城前で大式典が盛大に行われている。宮城前広場には約五万人が集まり、君が代の大斉唱がなされた。

私には、このセレモニーが、昭和十五年の最も「変調」をきたした象徴的な出来事に思えてしまうのだ。

大式典の一ヶ月前、十月十二日には、近衛首相によって「大政翼賛会」が結成されている。民政党、政友会など、当時の政党はこぞって解散して「翼賛会」に吸収されていった。

つまり、国家危急の時、議会で討論して何か結論を出すなどと悠長なことをやっているのではなく、今こそ、「天皇への帰一の下、国民は一致団結して国を動かすべき」としたものである。「国民は臣民となり、全てが天皇に帰一した国家システム」が最終的に作り上げられたのだ。

「皇紀二六〇〇年」の大式典は、こうした「天皇に帰一する国家像」を象徴するものであった。いわば、日本は理性を失った、完全に〝神がかり的な国家〟に成り下がってしまったのである――。

同じ年の少し遡ること九月、日本軍は北部仏印（フランス領インドシナ、現在のベトナム）に進駐している。ヨーロッパでドイツがフランスを制圧した状況を見計らっての軍事行動であった。

そしてその数日後、日本はいよいよナチス・ドイツとがっちりと手を結ぶことになる。

イタリアも交えた「三国軍事同盟」である。これで反米英の姿勢と枢軸国への全面的な加担を明確にしたことにもなった。

いったいなぜ日本は、ドイツと手を結ばなければならなかったのか。泥沼化するばかりの日中戦争に、その遠因があった。

南京、徐州、武漢三鎮……いくら都市を攻め落としても一向に埒のあかない戦局に、日本国中が疲弊感を募らせていた。軍部の指導者たちはその理由を考えた。そして出した答えが「援蔣ライン」という考えであった。つまり、蔣介石政府がギブアップしないのは、裏でアメリカとイギリスが軍事物資の援助を行っている「援蔣ライン」が存在するからだと。

誰もが批難の矛先を求めていた。そんな中、軍部は「蔣介石政府を倒すには、まずアメリカとイギリスが行っている〝援助のライン〟を断たなければならない、悪いのは米英だ」と巧みに導いていったのである。反米英の感情は急速に根付いていった。九月に、日本軍が北部仏印に進駐したのも、この「援蔣ライン」を断つ目的が大きかった。

ヨーロッパでイギリス相手に快進撃を続けるドイツと手を結ぶのは、もはや自然な流れだったのである。十五年の夏頃から、「バスに乗り遅れるな」とのお題目が、陸軍内部、外務省のあちこちで聞かれるようになった。

もちろん「三国同盟」の締結に当っては、前首相で海軍大将の米内光政、海軍次官から連合艦隊司令長官に就いた山本五十六、海軍省軍務局長であった井上成美《しげよし》のように同盟反対を主張する良識ある海軍軍人もいた（もっとも海軍の中では強硬な同盟推進派の方が大多数であった）。

だが、日本を取り巻く〝時代の雰囲気〟が、それを許さなかった。ここでも「二・二六」以来の〝テロの恐怖〟が後を引いていたのだ。先にも書いたように山本は常に右翼に狙われていたほどだった。ごく一部の人間を除いて軍部には反論したくとも、言い出せない状況が出来上がったのである。

そしていよいよ昭和十六年、開戦の年を迎える。

「北進」か「南進」か

日独伊「三国軍事同盟」により、日本はイギリス、そしてアメリカとも対立する姿勢であることを明確にしたが、しかし、「やはりアメリカと事を構えるのは、あまりにも無謀だ」とする声もまだ根強く残っていた。特に外務省には、対米英強硬派が主流を占めつつある一方、米英協調派も存在意義を示していた。

これより前の昭和十四年七月には、アメリカは一方的に日米通商航海条約の破棄を通告してきた（昭和十五年一月失効）。十五年九月には屑鉄の全面的輸出禁止も決定する。日本は、石油をはじめ多くの資源を輸入に頼ってきた国である。アメリカからの貿易統制は死活問題を意味した。

米英協調派は、何とか日米和解のための交渉が成らないかと、懸命の努力を開始した。十五年十一月、アメリカからウォルシュとドラウトという二人の神父が日米関係の悪化を憂い、首相の近衛に接触し「日米国交打開策」を持ちかけてきている。近衛はこれに乗り、神父たちの持ってきた「打開策」を元に、陸軍省軍事課長の岩畔豪雄《いわくろひでお》らが中心になって「日米諒解案」を作成した。

「諒解案」は、アメリカと日本は太平洋を平和の地域にするとか、日本の国策をアメリカはある程度認める、あるいはアメリカの大統領であるルーズベルトと日本の首相、近衛が太平洋沿岸のどこかで、和解のための首脳会談を行うという含みももっていた。

昭和十六年四月、海軍大将の野村吉三郎《きちさぶろう》駐米大使を通じて、この「諒解案」はアメリカの国務長官、コーデル・ハルに渡されることとなる。そしてハルもこの「諒解案」を受け取り、日米交渉は実現間近にまでこぎつけるに至った。

しかし、ちょうどその時であった。折悪しく「三国同盟」の推進者、それに「日ソ中立条約」を締結したばかりの外相、松岡洋右がドイツやソ連を訪問して意気揚々と帰国してくる。勢いづいていた松岡は、この「諒解案」を一顧だにせず交渉を妨害する役を果たす。

それでも、とにかくこの「諒解案」がきっかけとなり、駐米大使の野村吉三郎と国務長官ハルとの間では、その後も接触が保たれた。日米和解の模索が始まっていくことになる。この交渉はのちに松岡を更迭して、本格的に行われるが、交渉自体は十六年十一月二十六日の「ハル・ノート」提出まで続いたのである。

この日米交渉が太平洋戦争に入っていく、一つの重要な流れとなっていった。

こうした日米交渉の努力が進められていた一方、日本国内では、六月の「大本営政府連絡会議」で二つの軍事政策案をめぐって議論が白熱していた。日本がドイツの勝利に便乗して七月に南部仏印に進駐するか否か、つまるところ「北進」か「南進」かの問題である。

「北進」とは、対ソ戦を意味した。ヨーロッパでは驚天動地なことが起きていた。「独ソ不可侵条約」を結んでいたドイツが、約束を破りソ連に電撃侵攻（六月二十二日）したのである。三国同盟を結んでいる日本は、今こそドイツに呼応して東からソ連に侵攻すべきではないかとの主張であった。

一方の「南進」は、既に押さえている北部仏印からさらに軍隊を南下させようとする策であった。つまりは、そこにある石油が目標であった。八割近い石油をアメリカに依存している現状では、アメリカに生殺与奪の権を握られているのと同じこと。それを打開しようとの考えであった。

「北進」論者、「南進」論者とも、それぞれ強い拘《こだわ》りがあった。「北進」論者は、主に陸軍に多かった。もともと、陸軍はソ連を仮想敵としていた。伝統的な教育として、大陸北部を想定した戦術が多く教えられていた。特に満州に駐在していた関東軍は「北進」を強く主張した。一方の「南進」論者は海軍が中心であった。海軍の仮想敵は太平洋上のアメリカである。そして海軍が「南進」に拘るのにはもう一つ大きな理由があった。軍艦は石油がなければ動かないではないかと……（後述するが、しかしこれには、実は大きなトリックがあった）。

議論百出した末、最終的に日本の出した結論は「南進」であった。

しかし、「南進」と同時に、満州にも馬や兵隊、高射砲、戦車など二十個師団、約四〇万人を動員し、ソ連にも攻め込むようなポーズを取ることに決めた。いわば目くらましの二面作戦に出たのである。この時の満州の動員を「関東軍特種演習（通称、関特演）」といった。

しかし、実はこの目くらまし作戦をソ連はすっかり見抜いていたのである。日本で諜報活動を行っていたスパイ・ゾルゲのおかげであった。ゾルゲが、近衛周辺の人物から情報をとり、スターリンに日本の「南進」を報告していたからだ。その情報により、スターリンは軍隊を東部のシベリアにではなく、全て西部のヨーロッパ方面に向けることができたのであった。

逆転の発想「東條内閣」

かくして、日本が南部仏印に進駐したのは、七月二十八日のことであった。

そこで石油、錫《すず》などの資源を手に入れることはできたが、その分、手痛いしっぺ返しも食うことになる。「日本の南部仏印進駐を絶対に許さない」と、アメリカが「在米日本資産の凍結」、それに「石油の対日輸出全面禁止」を通告してきたのである。

にわかに事態は、風雲急を告げ始めていく。

アメリカで日米交渉を続ける野村大使に、以後、ハルは徹底的に厳しい条件をつけるようになる。

「仏印からの軍隊の速やかな撤退」「三国同盟からの離脱」「中国から撤兵し、蔣介石政府を認めること」。この三条件を、ハルは終始一貫、変わることなく言い続けるようになった。しかし、日本にとってはどれも飲めない条件であった。

九月三日、アメリカの強硬な制裁を受け、急きょ「大本営政府連絡会議」が開かれている。そこで、現状を鑑みて三つの取るべき国策が決定された。

「米英に対して戦争準備を行う」、「これと同時進行して飽くまで日米交渉を続ける」、そして「十月上旬まで交渉を続けて、交渉の成果がない場合は米英に対して武力発動を辞せざる」と。

この議決は六日、「御前会議」でも決せられた。天皇はこの報告を聞き、驚くことになる。もちろん天皇にしてみれば、「戦争を辞せざる」事態などもってのほか、と思ったはずだ。だが天皇は、この時も自らの意思を発することはなかった。ただ、よほど耐えかねたのだろう。ある異例の行動に出た。やおら懐から一枚の紙を取り出し、それを読み出したのである。

「四方《よも》の海みなはらからと思ふ世に　など波風の立ちさわぐらむ」

それは明治天皇の御製であった。〝できれば外交交渉で解決し、和平を以って収束させて欲しい〟、そう意味を込めた、精一杯の意思表示であった。

しかし天皇の思いとは裏腹に、日米交渉は一向に好転しないまま、時計の針は九月、十月へと進んでいく。駐米大使の野村も何とか妥協の糸口を見つけようとしたが、ハルに譲歩の余地はまるでなかった。

陸軍大臣の東條をはじめ、「軍部」は、埒のあかない日米交渉に痺れを切らしていた。この期に及んでは、一刻も早く戦端を開くべきだと、強硬論一色に染まっていく。

十月四日、「大本営政府連絡会議」が開かれている。その場で東條は近衛に対して、「もう日米交渉は終わりである。九月六日の御前会議の決定通り進むべきだ」と詰め寄った。さらに恫喝するように「人間一度は清水の舞台から飛び降りるような覚悟も必要」とも。その言葉にカッとなった近衛は「軍人はそんなに戦争が好きなら、勝手にやればいい」と、投げやりに言い放つ。

近衛の力量では、もはや状況を収拾する限界を超えていた。東條との口論の十二日後には、無責任にも内閣を投げ出してしまう。

そして後継総理に収まったのは、陸軍大臣を兼ねた東條であった。

東條内閣が発表されると、国際社会に衝撃が走ったという。「一番の主戦論者が首相に就き、日本はこれで完全な〝開戦準備態勢〟に入った」と。アメリカ海軍は、太平洋艦隊に対しいつでも出動できる準備を整えるよう命令をくだした。

しかし、国際世論の危惧に反して、東條は事を荒立てる様子ではなかった。海外メディアは訂正して、こう伝えた。「むしろ慎重に会議を行っているようである」。

近衛の後継者選びをめぐっては、内大臣の木戸幸一が裏で糸を引いていた。木戸はいわば天皇の相談役ともいえる側近の立場であった。木戸は、天皇の意を汲み、九月六日の御前会議で決まったことを白紙還元できるような内閣を作らなければならないと考えた。そして一つの賭けに出る。一番の強硬論者である東條を首相に据えることであった。

東條は、とにかく天皇への忠誠心に篤い男であった。それをあえて利用しようとしたのである。木戸の報告を受けた天皇は、この時木戸にこう語ったという。

「虎穴に入らずんば、虎子を得ずだね」

事実、東條は木戸に「陛下は、九月六日の御前会議の議決を白紙還元することを望んでおられる。もう一度、どんな可能性があるか探ってもらいたい。それが陸下の意志である」と告げられると、その通り白紙還元の方向を目ざすのである。

今まで通り日米交渉を継続する一方、東條は開戦回避が可能かどうか、今一度、陸海軍省の担当者たちに命じて、基本となるデータを全て出させることにした。

いったい石油の備蓄はどのくらいあるのか、他の資源はどうか、工業力はどうか、そして日米戦わば、その戦力差はどのくらいなのか……。

十月二十三日から三十日までの間に、大本営政府連絡会議は「項目再検討会議」を開き、日本の必要とする物資、十数項目のデータの調査がなされた。

しかし、東條の下に集まってくる数字はどれも絶望的な数字ばかりであった。特に石油の備蓄はこのままだと、二年も持たないとの結論だった。

また、このデータが出されると、海軍の軍令部は「このまま油がなくなったら、日本はどうなるかわからない」と執拗に迫ってきた。

東條は、もはや抜き差しならぬ状況に追い込まれていた。

十一月二日に開かれた「大本営政府連絡会議」で、東條を始めとする出席者たちはこう結論づけた。「日米交渉を続けながら、戦備も整える。しかし、十一月二十九日までに交渉が不成立なら、開戦を決意する。その際、武力発動は十二月初頭とする」と。

十二月と期限をきったのは、石油の備蓄量を逆算して限界の日時であること、またその時期以降になると季節風で太平洋南方の波が荒くなり海軍に不利になると考えたからであった。

戦争への歯車が、この時から確実に動き出すことになる。

まずアメリカに対して、日米交渉の最終的な通告として「甲案」と「乙案」を提出することに決めた。

「甲案」とは、日本のこれまでの主張を譲れないとした強硬案。そして「乙案」は、「甲案」後の〝落しどころ〟として提出する、やや引き下がったものであった。「南部仏印から日本軍の撤退、その代償に蘭領印度（現在のインドネシア）での物資獲得の相互保障をする」といった南部仏印進駐前の状態に戻すとした内容である。

日本は、野村大使の助っ人として「三国同盟」の調印をなした来栖《くるす》三郎を全権大使としてアメリカに送り込み、まずは十一月七日に「甲案」を、そして「乙案」を二十日に提出した。

だが、「甲案」「乙案」ともにアメリカは全面拒否、逆に、十一月二十六日、日本に、通称「ハル・ノート」と呼ばれる最後通牒を渡してきたのであった。「ハル・ノート」は何のことはない、今までのアメリカの主張を繰り返しているだけの厳しい内容であった。

これを受け、十一月二十七日の「大本営政府連絡会議」、そして十二月一日の「御前会議」で、正式に対米英蘭開戦が決定したのである。

真の〝黒幕〟の正体……

さて、ここまで十二月八日に至るまでの流れを概観してきた。それでは、この章の最後で、あえて私は、誰が「日本を開戦に導いたのか」、その真の〝黒幕〟を名指ししてみたいと思う。

十二月八日に至るまでには、いくつかの〝重要な瞬間〟があった。「三国同盟」締結の時、二人のアメリカ人神父が近衛周辺に接触してきた時、南部仏印に進駐した時、あるいは東條内閣成立の時、「甲案」「乙案」を提出した時……いろいろあるだろう。

だが、私は、十月四日に行われた「大本営政府連絡会議」に注目したい。東條に責められ、「軍人はそんなに戦争が好きなら、勝手にやればいい」と言い放ち、近衛が内閣を投げだした〝瞬間〟だ。

この時、東條は近衛にこう詰問していた。「九月六日の御前会議の決定通り進むべきだ」と。前述のように九月六日に行われた「御前会議」では、十月上旬まで外交交渉を行い、それで決着がつかなければ「武力発動も辞せず」と決まっていた。このことを指して東條は言っていたのである。

注目してもらいたいのは、東條は、「九月六日の御前会議の決定通り進むべき」だとしかいっていないことである。決して「武力発動せよ」「戦争しろ」と、直接的には口にしていないのだ。

東條は、この時点では、強硬な主戦論者であった。当然、一刻も早く戦争を始めたかったはずである。それは陸軍の「軍部」の総意を表すものでもあった。

でも、東條は、いや陸軍は、と言い換えてもいいが、「武力発動」はできなかったのである。太平洋戦争において「武力発動」ができたのは、唯一海軍だけであった。いくら陸軍が、南洋諸島や東南アジアで「武力発動」をしたくても、海軍の護衛で運んでもらえなければ、始めようがない。

だから、十月四日の「大本営政府連絡会議」でも、東條は「九月六日の御前会議の決定通りに……」としかいえなかったのだ。「武力発動」の発言力を持たなかったからである。

戦後、東條の秘書官であった赤松貞雄は、この時の東條の心情を、

「あの戦争は、陸軍が始めたわけではない。海軍さんが一言、〝できないよ〟といったら、始めることはできなかった。東條さんは、〝海軍さんはどう考えているのか〟、それを気にしていたんだ」

と、はっきりと述べている。

加えて陸軍は、海軍に対して「日中戦争」という負い目があった。もともとこの日中戦争は、軍部の強硬派が一撃のもとに中国を屈服させるという傲りから始めたものだった。海軍を無視して勝手に大陸で戦火を広げていった、それを「何を今さら」と、海軍に言われることに引け目を感じてしまっていたのだ。

そしてもう一つ押さえておかなければならないことがある。実は、本当に太平洋戦争開戦に熱心だったのは、海軍だったということである。

そこには、「ワシントン軍縮条約」体制のトラウマがあった。

一九二二（大正十一）年、ワシントン会議において軍艦の保有比率の大枠をアメリカ

五、イギリス五、日本三、と決められてしまった。その反発が海軍の中でずっと燻り続け、やがてアメリカ、イギリスを仮想敵国と見なしていったのである。昭和九年に加藤寛治《ひろはる》海軍大将らの画策で、ワシントン条約の単独破棄を強引に決めて、その後、一気に「大艦巨砲」主義の道を突き進んでいく経緯があった。対米英戦は、海軍の基本的な存在理由となっていた。

またその後も、海軍の主流には対米英強硬論者が占めていく。特に昭和初年代に、ちょうど陸軍で「統制派」が幅を利かせていった頃、海軍でも同じように、中堅クラスの幹部に多く対米英好戦派が就いていったのだ。「三国同盟」に反対した米内光政や山本五十六、井上成美などは、むしろ少数派であった。

私が見るところ、海軍での一番の首謀者は、海軍省軍務局にいた石川信吾や岡敬純《たかずみ》、あるいは軍令部作戦課にいた富岡定俊《さだとし》、神重徳《かみしげのり》といった辺りの軍官僚たちだと思う。

特に軍務局第二課長の石川は、まだ軍縮条約が守られていた昭和八年に、「次期軍縮対策私見」なる意見書で「アメリカはアジア太平洋への侵攻作戦を着々と進めている。イギリス、ソ連も、陰に陽にアメリカを支援している。それに対抗し、侵略の意図を不可能にするには、日本は軍縮条約から脱退し、兵力の均等を図ることが絶対条件」と説いていた。いわば対米英強硬論の急先鋒であった。また弁が立ち、松岡洋右など政治家とも懇意とするなど顔が広かった。その分、裏工作も達者であった。

そして他の岡、富岡、神も、同じようにやり手の過激な強硬論者であった。

昭和十五年十二月、及川古志郎《こしろう》海相の下、海軍内に軍令、軍政の垣根を外して横断的に集まれる、「海軍国防政策委員会」というものが作られた。会は四つに分けられており、「第一委員会」が政策、戦争指導の方針を、「第二委員会」は軍備、「第三委員会」は国民指導、「第四委員会」は情報を担当するとされた。以後、海軍内での政策決定は、この「海軍国防政策委員会」が牛耳っていくことになる。中でも「第一委員会」が絶大な力を持つようになっていった。

この「第一委員会」のリーダーの役を担っていたのが、石川と富岡の二人であった。「第一委員会」が、巧妙に対米英戦に持っていくよう画策していたのである。

「第一委員会」が巧妙に戦争に先導していった一つの例として「石油神話」がある。

首相に就いた東條が、企画院に命じて行わせた必要物資の調査では、海軍省も軍令部もその正確な数字を教えなかった。むろんここには陸軍と海軍の対立もあったが、そのために「項目再検討会議」では具体的な論議ができなかった。巧妙な罠を仕掛けていたのである。

この会議での調査報告では、その当の石油の備蓄量は、「二年も持たない」との結論であった。結局、それが、直接の開戦の理由となった。

しかし、実は、日本には石油はあったのだ。

実際に私は、陸軍省軍務課にいたある人物から、こんな証言を聞いた。

「企画院のこの時の調査は、実にいい加減なものだったんです。陸軍もそうでしたが、特に海軍側は備蓄量の正確な数字を企画院に教えなかった。海軍の第一委員会が〝教える必要はない〟の一点張りで、企画院は仕方なく、大雑把なデータから数字を割り出し、計算して出した結果なのです」

企画院という組織は独立した一官庁であったが、大蔵省、商工省など各省庁機関から派遣された者が寄り集まってできた機関であった。陸軍省、海軍省からも派遣されており、彼らの申告した根拠のない数字に基づいてデータが出されていた。

先の人物は、さらに面白い話をしてくれた。

「開戦前、アメリカに輸入を止められてしまい、石油がなく〝ジリ貧〟だというのは、一般国民でも知っていることでした。それでそんなに石油がないのならと、ある民間貿易会社が海外で石油合弁会社を設立するというプロジェクトが起こったんです。普通だったら、喜ぶ話ですが、軍は圧力をかけて意図的に潰してしまいました」

つまり、「石油がない」という舞台設定をしないと、戦争開始の正当化はできない。特に海軍は船を動かすことができなくなってしまう、というのが大義名分としてあった。それをうまく利用したのである。石油の備蓄量が、実際にどれだけあるかなど、いったい何人が正確に把握していただろうか。

開戦に至るには、実はそうした裏のシナリオが隠されていたのだ。

そのシナリオを書いたのが、「第一委員会」だったのである。

彼らは巧妙であった。官僚として動くので、決して目立つことはない。責任がかからぬよう、うまく計画もされている。

なぜ彼らは戦争を欲したのか。満州事変、日中戦争と陸軍ばかりが表面上は国民に派手な戦果を誇っているのに海軍はいっこうに陽があたらない。アメリカ依存の石油供給体制を脱し、東南アジアの油田地帯を押さえて、不安のないようにしたい。軍縮条約から解放されての建艦自由競争で大艦巨砲主義に相応の自信をもったことなどがあげられよう。だが同時に時の勢いに流されたということも指摘できるように思う。

歴史の教科書にも書かれている「ABCD包囲陣」なるものがある。アメリカ、イギリス、中国、オランダによって、日本は輸入経路を閉ざされてしまい、石油がなくて仕方なく南部仏印に進出したということになっている。しかし、これも「第一委員会」が作り上げた偽りの理由付けにすぎなかったのだ。

現在、我々が理解する開戦の〝歴史〟は、「陸軍の暴走に日本は引き摺られていった」という構図である。戦後の「東京裁判」(正式名は極東国際軍事裁判)がいい例だろう。A級戦犯に指定された二十八人の内、陸軍の軍人は十五人、海軍はたった三人。その上、絞首刑となった七人は、広田広毅を除いては、全員陸軍軍人であった。「陸軍悪玉説」で納まってしまっている。

東條の秘書官だった赤松はこうも言っていた。

「あの戦争は、陸軍だけが悪者になっているね。しかも東條さんはその中でも悪人中の悪人という始末だ。だが、僕ら陸軍の軍人には大いに異論がある。あの戦争を始めたのは海軍さんだよ……」

太平洋戦争開戦について、最初に責任を問われるべきなのは、本当は海軍だったのである。

基礎知識4　大艦巨砲主義

日本海軍の誇るべき原初の業績は日露戦争におけるバルチック艦隊撃破であった。最新鋭戦艦をそろえた連合艦隊の勝利は、「戦艦こそが海の王者」との認識を新たにした。以後、世界での戦艦建造競争が始まっていく。イギリスでは三〇・五センチ砲一〇門を搭載の「ドレッドノート」が進水。日本も「長門」「陸奥」を誕生させた。

やがて第一次世界大戦が起こるが、戦後の国際社会では一転して軍縮傾向に向かうことになる。大正十一年のワシントン会議、昭和五年のロンドン会議で、日本もそれらの軍縮条約を結ばざるをえず、しかもその戦艦の保有比率は、ほぼアメリカ五、イギリス五、日本三、となっていた。

これに不満を覚えたのが、加藤寛治を始めとする海軍の「艦隊派」と呼ばれる面々であった。そのあげくに昭和九年、加藤は日本の軍縮条約の単独破棄を画策する。その後、一気に日本は〝超ド（レッドノート）級〟戦艦建造への道を突き進むのである。「大和」「武蔵」はアメリカ大陸のパナマ運河を通れないほどの大型戦艦であった。ただ既に、戦法は大艦巨砲ではなく航空戦が主流となっていた。それを実証したのが、皮肉にも真珠湾攻撃だった。

第三章

快進撃から泥沼へ

戦場となった太平洋の島々

1 「この戦争はなぜ続けるのか」――二つの決定的敗戦

十二月八日、朝七時にラジオから流れてくる臨時ニュースで、日本の国民は初めて戦争状態に入ったことを知った。

その時、国民はみな歓喜に沸いたのである。アメリカに押さえつけられて背伸びできない鬱屈感があった。イライラした生活から一気に「胸のつかえが降りた」という解放感に満たされたのだ。

新聞は「ああこの一瞬、正に敵性国家群の心臓部にドカンと叩きつけたる切札である」と煽り立てた。あちこちで「万歳、万歳」の声さえあがった。

その感情の発露は、特に知的階層に多かった。作家の太宰治は、開戦のニュースを聞いた時の感想を、こう書いている。

開戦の新聞号外を前に「万歳」の声があがった

「しめ切った雨戸のすきまから、まっくらな私の部屋に、光のさし込むように強くあざやかに聞こえた。二度、朗々と繰り返した。それを、じっと聞いているうちに、私の人間は変ってしまった。強い光線を受けて、からだが透明になるような感じ」(『十二月八日』)

同じく作家の伊藤整は、もっと露骨に解放感を表していた。

「私は急激な感動の中で、妙に静かに、ああこれでいい、これで大丈夫だ、もう決まったのだ、と安堵の念の湧くのを覚えた」(『十二月八日の記録』)

しかし、今、その時の「解放感」を表現するのは、何か罪悪感をともない、憚られる雰囲気がある。開戦時の姿は、間違いなく素直な日本人の国民性が現れていると思うのだが。

この時の空気は「二・二六事件」に端を発した〝暴力の肯定〟で神経が麻痺していく感覚と似ているようにも感じられる。鬱屈した空気の中でカタルシスを求める。表現は悪いかもしれないが、〝麻薬〟のような陶酔感がある。

そして何もそうした感情は日本人だけに限らなかった。カントやワグナーを生んだドイツの国民とて、同じようにヒトラーに〝しびれて〟しまったのだから。あるいは戦後の日本だって、同じようなことが起きている。オウム真理教などに、いわゆる偏差値の高い大学を出た者がみな洗脳されてしまう。金正日が支配する北朝鮮も然《しか》りだ。みな裏に暴力の装置があり、それに押さえつけられた独裁政権下である。

人間のＤＮＡの中に、〝暴力〟の支配下での陶酔感に浸れる資質のようなものがあるのかもしれない……。


無謀とわかっていながら、しかし誰も「ノー」とは言えず、曖昧なまま始まってしまった太平洋戦争——。この章では、真珠湾攻撃から半年にわたる〝快進撃〟、そして初の決定的敗戦となった「ミッドウェー海戦」と「ガダルカナル攻防戦」、その後の

〝泥沼〟に至る転換点となるところまでを説き起こしてみたい。「なぜこの戦争は続けざるをえなかったのか」、そのことを根底にして考えていくつもりだ。

あるいは、〝もし〟この段階で日本が戦争を止めていたら、いったいどうなっていただろうかと……。

果して「真珠湾攻撃」は成功だったのか

開戦前のアメリカ海軍の予想では、日本が最初に攻撃を仕掛けてくる地はフィリピンだと、読んでいた。日本軍の標的はアジアの南方にあるはず。何よりフィリピンには、アジアにおける最大のアメリカ軍基地があったからだ。だから、日本がハワイに先制攻撃を仕掛けてきたと知った時、アメリカの軍事指導者は本当に驚いた。

まんまと奇襲作戦を成功させたのは、〝賭博師〟ともいわれた山本五十六の天才的なところであった。

空母に飛行機を搭載した機動部隊が、ハワイ沖、三〇〇〜四〇〇キロの地点に接近し、そこから爆撃機を飛ばす。爆撃機は低空で目標地に入って急降下爆撃をくわえた。第一次、第二次と二度の波状攻撃をかけ、停泊中の「アリゾナ」始め、アメリカ海軍の四隻

真珠湾ヒッカム飛行場を爆撃する97式艦上攻撃機

の戦艦を沈めた。その他、湾周辺の飛行場を破壊し、三〇〇〇人近い兵士をも殺害した。奇襲攻撃としては大成功だったといえよう。

山本五十六が「真珠湾攻撃」作戦を発案したのは、昭和十五年五月頃のことだったといわれている。

アメリカへの留学経験もある山本は、始めから日米決戦が無謀であることを十分承知していた。しかし、昭和十六年七月の日本軍の南部仏印への進駐、それを受けてアメリカが発動した「在米日本資産の凍結」「日本への石油禁輸」を見て、もはや戦争が不可避であることを悟ったという。連合艦隊司令長官だった山本は、近衛に開戦となった時の見通しを聞かれて、こう答えていた。

「それは是非やれと言われれば初めの半年や一年

の間はずいぶん暴れてごらんにいれる。しかしながら二年、三年となればまったく確信は持てぬ」

その上で完成させたのが「真珠湾攻撃」作戦だった。彼はこうもいっていた。

「種々考慮研究の上、結局開戦劈頭《へきとう》有力なる航空兵力をもって敵本営に斬込み、彼をして物心共に当分、起《た》ち難きまでの痛撃を加うるの外なしと考うるに立ち至り候次第に御座候」

先制の奇襲攻撃をしかけ、徹底的に叩いて打撃を与えることが重要であると。しかし、それ以上のことは何も語っていない。

実際に「真珠湾攻撃」は、その後に上陸作戦を展開しようとか、ハワイを制圧しようとか、次に何をしようという戦略は全く考えられていなかった。

真珠湾より少し遅れて、陸軍上陸部隊はマレー半島、それに香港に侵攻していった。こちらも、イギリス軍相手に大勝利を収める。

十二月八日の夜、首相官邸では、陸海軍首脳の大祝宴会が行われていた。次々に舞い込む勝利の報に、東條英機は上気して「すぐに陛下に知らせろ、ありのままを報告しろ」と上機嫌だったという。

何かこの時の光景は、その後の日本軍の戦いを象徴しているように思えてしまう。「さて、その次にどうしようか」など、誰も考えようともしなかったのだ……。

一方アメリカでは、この日、在米日本大使館が大失態をおかしていた。開戦前にアメリカへ渡すはずの開戦通告書の手交を遅延させてしまったのである。

外務省本省が電報で送ったアメリカへの開戦通告を、在米日本大使館で正式文書にタイプするのに手間取り、真珠湾攻撃開始から五十五分も遅れてしまったのだ。在米大使館ではその重要な内容を理解しなかったがゆえに起きた不幸であった。

結果的に、その五十五分の遅延は、アメリカ人に「日本に卑怯な騙し討ちをされた」、「ダーティ・ジャップ」との強い怒りを与えてしまう。他国のことには不介入とするアメリカのモンロー主義を変えて、参戦への理由付けにまんまと利用される結果となったのだ。

〝勝利〟の思想なき戦争

日本軍は、その後も破竹の勢いで進んでいった。

二月十一日の紀元節までにと期限を定めてシンガポール攻略を進める。続いて、現在のマレーシア、ベトナム、カンボジアとインドシナ半島を押さえていった。また海を越えてソロモン諸島やニューブリテン島のラバウルにまで入っていく。さらにマッカーサーのいるフィリピン基地も日本軍は制圧してしまう。マッカーサーは「アイ・シャル・リターン」の言葉を発し、オーストラリアで屈辱の日々を過ごすことになった。

こうして昭和十七年四月までに、日本は東南アジアのほぼ全ての地域をその支配下に収めていったのである。

表向きの名目は、オランダやフランス、イギリスの植民地支配からアジア地域を解放する「民族の独立」を謳った。実際には、制圧地域には輸送船で次々に兵隊を送り、軍政を敷いていった。

さて、開戦当初の占領予定地は、これでほぼ手に入った、ではいったい次に取るべき行動は何か……。この段階になって初めて日本軍は頭を悩ませてしまったのである。

考えた末、指導者たちは、こう方針を決定した。

地図を眺めて見ると、アメリカ軍はフィリピン基地なき後、拠点をオーストラリアに移していくはず。ならばここを叩こうと……。

こうして、次なる作戦が決められた。「MO作戦」こと、ポートモレスビー攻略である。ポートモレスビーとは、現在のパプアニューギニアの首都。当時はオーストラリア領であった。ここを叩くことによって、アメリカとオーストラリアの海上輸送路が断たれると考えた。

私は、この戦争が決定的に愚かだったと思う、大きな一つの理由がある。それは、「この戦争はいつ終わりにするのか」をまるで考えていなかったことだ。

当たり前のことであるが、戦争を始めるからには「勝利」という目標を前提にしなければならない。その「勝利」が何なのか想定していないのだ。

例えば、それがワシントンのホワイトハウスに日章旗を揚げるでも、アメリカ西海岸の都市を占領するでも、何でもいい（もっともそんなことはまったく不可能だが）、何かしらの「戦争の終結」像があってしかるべきだと思うのだが……。

開戦時の日本の「勝利」とはどのような状態を意味したのか、私は徹底的に調べてみた。ようやくそれに値するだろうある報告書に気づいた。それは、昭和十六年十一月十五日の大本営政府連絡会議で決まった「対米英蘭戦争終末促進ニ関スル腹案」というものである。腹案には、こう書かれていた。

「蔣介石政府を屈服させる。その上でドイツ、イタリアと提携してイギリスを屈服させ、アメリカの継戦意思を喪失せしめる」

つまり、この腹案はこういうことである。日本は、極東にあるアメリカ、イギリス、オランダの根拠地を壊滅させて自存自衛体制を確立する。そしてイギリスは、ドイツとイタリアによって制圧してもらう。そうすると孤立したアメリカが「継戦の意思なし」というはず。その時にこそ、この戦争は終るのだ、と——。

この腹案を読み、私は指導者たちのあまりの見通しの甘さにあきれ返ってしまった。ここに書かれている内容は、いわば全て相手の意思任せである。あるいは、軍事的に制圧地域を広げれば、相手は屈服するといった勝手な思い込みだけである。

日本がアジアに「自存自衛体制を確立」するというが、それは具体的にどういうことだろうか。蔣介石政府を屈服させるというが、これはどのような事態を指すのだろうか。そして、アメリカが「継戦の意思なし」ということは当のアメリカ政府と国民の、まさに〝意思にかかっている〟ということである。アメリカが「もう参った。戦争をやめよう」と提案してくるのは、イギリスが屈服した時だと本当に考えていたのであろうか。

この「腹案」の原案を作った軍務課の幕僚の一人に、直接、私は話を聞く機会があった。その時、彼も認めていた。「東條さんや、上層部の人たちの意見を集約してまとめたのですが、この案を書きながら自分でも調子いいなと思いましたよ」と。

日本はこういう曖昧な形で、戦争に入っていったのである。

完全に裏をかかれた「ミッドウェー海戦」

日本国内では、毎日のように「連戦連勝」と海外から勇ましい報ばかりがもたらされていた。そして、国中がそれに酔ってしまっていた。

しかし、そんな昭和十七年四月十八日のこと、寝耳に水の反撃を受けることになる。東京を中心に、川崎、横須賀、名古屋、四日市、神戸とアメリカ軍による初の本土空襲を受けたのだ。

東京の約一二〇〇キロメートル東に接近した空母からドゥリットル指揮官に率いられたB－25爆撃機、十六機による奇襲攻撃だった。太平洋上から飛び立った爆撃隊は、空襲後も二四〇〇キロメートル飛行し続け、中国東部の飛行場に着陸するという大胆な作戦だった。

この空襲で民間人を含む五〇名が死亡している。しかし戦時下の被害としてはそう大きい数字とはいえなかった。ただ軍部は、改めて高射砲の無力さを痛感することとなった。それに、何より勝ち戦に浮かれていた中の不意討ちに、ショックは大きかった。

特に、山本五十六は、皇居近くにも爆弾を落とされたことに非常な責任を感じ、恐縮してしまっていた。太平洋の制海権を押さえているはずの連合艦隊司令長官の立場として、「陛下に申し訳ない」と大いに責任を感じてしまったのである。

山本はこの「ドゥリットル空襲」を受け、軍令部に対し、新たな作戦を強く主張するようになる。

「日本海軍は、ポートモレスビーなど遠くに行き戦っている場合ではない。アメリカが日本の本土爆撃の拠点としようとしているハワイ周辺、太平洋上に浮かぶ島々の飛行場基地を叩いておくべきである」と。

山本の構想では、日本とハワイの中間に位置するミッドウェー島をまず押さえておけば、当分は太平洋西部の制海権を固められるはず、との考えであった。加えてこの海域に太平洋艦隊の空母を誘いだし一気に叩くという計算もあった。

山本には真珠湾攻撃の作戦を成功させたという強味があり、軍令部でも山本の意見を無視することができなかった。こうして「ミッドウェー作戦」が進行していくことになる。

だが、実は「ミッドウェー作戦」は完全にアメリカ側に読まれていたのだ。真珠湾攻撃を受けて以来、アメリカ太平洋艦隊司令長官のニミッツ大将は、日本軍がこの後どうやって攻めてくるかをシミュレーションするように日本通のレイトン情報参謀に命じていた。レイトンは自分が日本の軍令部総長だったらどうするかと、常に考えをめぐらせていた。そして彼は一つの結論を出した。

「真珠湾での成功体験から日本軍は必ずまた同じ戦法を取って来るだろう。また日本本土に航行可能な距離にある太平洋上のアメリカ軍基地を攻撃目標に定めてくるはず。それはミッドウェーであろう」――

また実は、この頃、日本側の暗号通信は全てアメリカ軍に傍受され、筒抜けになっていたのである。日本軍がミッドウェーにいつ攻めてくるか、その日付ばかりか攻撃開始の時間まで、正確に見抜かれていたのだ。

六月五日、午前六時、日本の連合艦隊の持つ主要空母の内、四隻も動員し、南雲忠一《なぐもちゅういち》司令官が率いる機動部隊はミッドウェーに臨んだ。

と、突如、高度上空から多数の爆撃機が急降下してきたのである。機動部隊は度肝を抜かれるばかりで、反撃をなすすべもなかった。

空母三隻「赤城」「加賀」「蒼龍《そうりゅう》」は大破し、のち沈没、辛うじて沈没を免れた「飛龍《ひりゅう》」も手痛い打撃を蒙り、友軍により撃沈された。搭載機約三二〇機も失い、戦死者は三三〇〇名に上った。太平洋戦争が始まって以来、初めての惨敗となった。

また、連合艦隊の持つ主要空母四隻を失ってしまうことにもなった。それは、後々まで影響を残すこととなる。

その日、東京の軍令部では、満を持した作戦が成功することを確信し、祝宴を張る用意もすっかり整っていたという。後は戦勝の報を待つのみであった。敗北など考えてもいなかった。しかし、いくら待っても「作戦成功」の報告がもたらされることはなかった。

さて「ミッドウェー海戦」で特筆すべきは、敗戦の報を受けた後の海軍軍令部の対応である。敗れたことをひた隠しにしたのであった。「大本営発表」では、

「米航空母艦エンタープライズ型一隻及びホーネット型一隻撃沈、彼我上空において撃墜せる飛行機約一二〇機。（中略）我方損害、航空母艦一隻喪失、同一隻大破、巡洋艦一隻大破、未帰還飛行機三五機」

と、国民にウソの報告がなされた（これが「大本営発表」の最初のウソであった）。

そして国民はもとより、いかに手痛い損害を蒙ったかを陸軍にも教えない、さらに天皇にも正確に伝えることをしなかった。

ミッドウェーで生き残った者たちは日本に戻ると幽閉状態におかれた。故郷との連絡も許されず、入院していた者は病室のカーテンさえ開かせてもらえなかった。

「ミッドウェー海戦」での赤城飛行隊長の淵田美津雄《ふちだみつお》も、負傷して基地に戻り、幽閉された入院生活を送らされていた。彼は真珠湾攻撃にて第一次攻撃隊長として名をあげた、英雄でもあった。そんな彼が、あまりの拘束ぶりに「我々を犯罪者なみに扱うのか」と思わず激怒したほどであった。

ちなみに淵田は、戦後、牧師となってアメリカを布教して歩く生活をしている。アメリカで「真珠湾の時のパイロットだった」と、かなり有名になるのだが、彼にクリスチャンになってアメリカに行く決意をさせたのは、この時受けた仕打ちに原因があった。軍への、そして日本への不信感を募らせ、信仰の生活に入るようになったのだ。

こうして「ミッドウェー海戦」は、それまで快進撃できた日本の大きな曲がり角となったのである。

無為無策の戦場「ガダルカナル」

「ミッドウェー」に引き続き、日本はこの時期、もう一つ決定的な敗北を味わうことになる。「ガダルカナル攻防戦」である。

山本五十六の進言によって進められた「ミッドウェー海戦」であったが、それと同時並行的に、海軍は、先にも述べた、アメリカとオーストラリアを分断する計画、「MO作戦」も進めていた。その前線基地として、フィジー、サモア諸島の北西一〇〇〇キロ、ソロモン諸島のほぼ南端に位置するガダルカナル島に飛行場の建設をしていたのである。飛行場建設のために設営隊二五〇〇名と警備隊一五〇〇名が島に派遣されていた。

飛行場は八月五日、設営隊による突貫工事の末、何とか完成にこぎつけるに至った。ところが、その二日後の七日未明、隊員たちが起きてみると、海上を海面が見えないほどアメリカ軍の艦艇が埋め尽くしているではないか……。

アメリカ海軍の総攻撃であった。そして夜も明けきらぬ内、二万あまりの海兵隊が上陸を開始してきた。

アメリカは、やはりこのガダルカナル島が、ミッドウェー島と同じく日本の前線基地として〝要点〟となることを充分読んでいたのだ。そして飛行場の建設具合を常に偵察

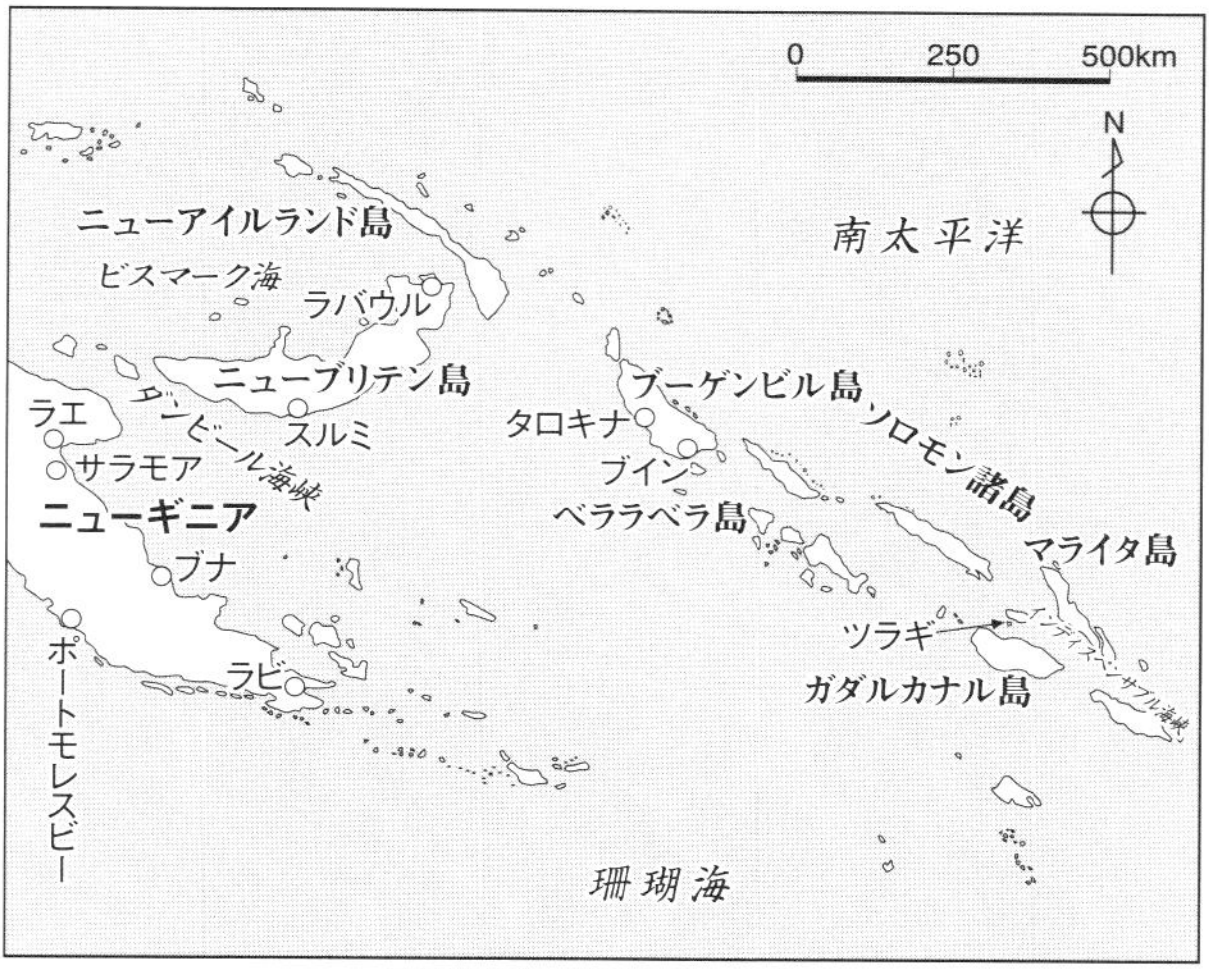

太平洋南部、戦場となった島々

していた。

一方、島にいた日本兵はほとんど抵抗もできず、後方のジャングルに逃げ込むのが精一杯であった。設営隊員は武器さえ持っていなかった。

前線となるガダルカナルの飛行場が奪取されたとの報を受けた大本営は、早速、グアム島にいた一木支隊に、第一次派遣隊として出動を命じている。

しかし、大本営では事態を重くみていなかった。攻撃してきたアメリカ軍の正確な数字を精査することもなく、たまたま通りかかったアメリカの偵察機が飛行場を見つけ、攻撃を仕掛けてきたにすぎないのだろうと高をくくっていた。一木支隊の派遣隊はわずか一〇〇〇名にすぎなかった。一〇〇〇名は上陸して飛行場を攻撃するが、全滅するのにわずか一晩もかからなかった。

「派遣隊全滅」の報告を受け、大本営は未だ何かの間違いだろうと考えた。今度は、一木支隊の残りの一五〇〇名、それに続く川口支隊の三個大隊に出動を命じた。今度は四〇〇〇名近い兵力であった。しかし、それも時間の問題で、すぐに総崩れとなる。

だが、それでも大本営では「行った連中が弱いからだ」と、責任を現場に押し付けていた。そして二度、三度と同じような編成を繰り返すだけであった。

そんなことが数限りなく続けられ、結局、大本営がガダルカナルを諦め、撤退するまでには半年もかかってしまう。

その間、つぎこまれた兵士は、陸軍約三万六〇〇〇人、海軍約四七〇〇人、その内、戦死者は、陸軍約二万八〇〇〇人、海軍約三八〇〇人。次々に部隊を上陸させるが、輸送船は撃沈され、武器弾薬はおろか食糧もなかった。戦死者の内、餓死者は一万五〇〇〇人と推定されている。ガダルカナル島は、「餓島」と呼ばれた。

ガダルカナルの攻防戦が始まって五ヶ月後の十二月、参謀本部作戦部長の田中新一が東條に「もっと兵隊を送りたいから、また輸送船を出してくれ」と何度目かの要請をしていた。この時、さすがの東條も呆れて、陸軍省軍務局長の佐藤賢了《けんりょう》とともに「お前たちは何度も〝今度は大丈夫だから船を出せ〟というが、どういう戦略で、どう計画を立てているのか。これ以上、ガダルカナルで犠牲者を出すようだったら、お前とはもうこの世では会うことはないぞ」とすごんだ。すると、その場で田中も「ふざけるな！」と、いい返し、殴り合いの乱闘になったという……。

それほど、大本営は混乱し、また無為無策であったのだ。戦略を立て直そうなどと考えることもなく、いってみれば〝下手な博打打ち〟のように「もう一度、もう一度」と同じ手を繰り返すだけであった。

私は、八月の段階でガダルカナルに上陸した一木支隊で奇跡的に生き残った何人かの兵士から話を聞いたことがある。彼らの話から、いかに無謀な戦いに駆り出されていたか痛感できた。

アメリカ軍の攻撃で部隊が総崩れとなると、何とか生き残った者は、みなバラバラにジャングルに逃げ込んでいくしかなかったという。指揮系統などなく、すぐにみな統一の取れないゲリラ兵のようになっていった。当然、補給など望むべくもなく、野生の豚や牛を殺して飢えを凌ぐしかなかった。しかし、豚や牛を食べられた頃はまだよく、し

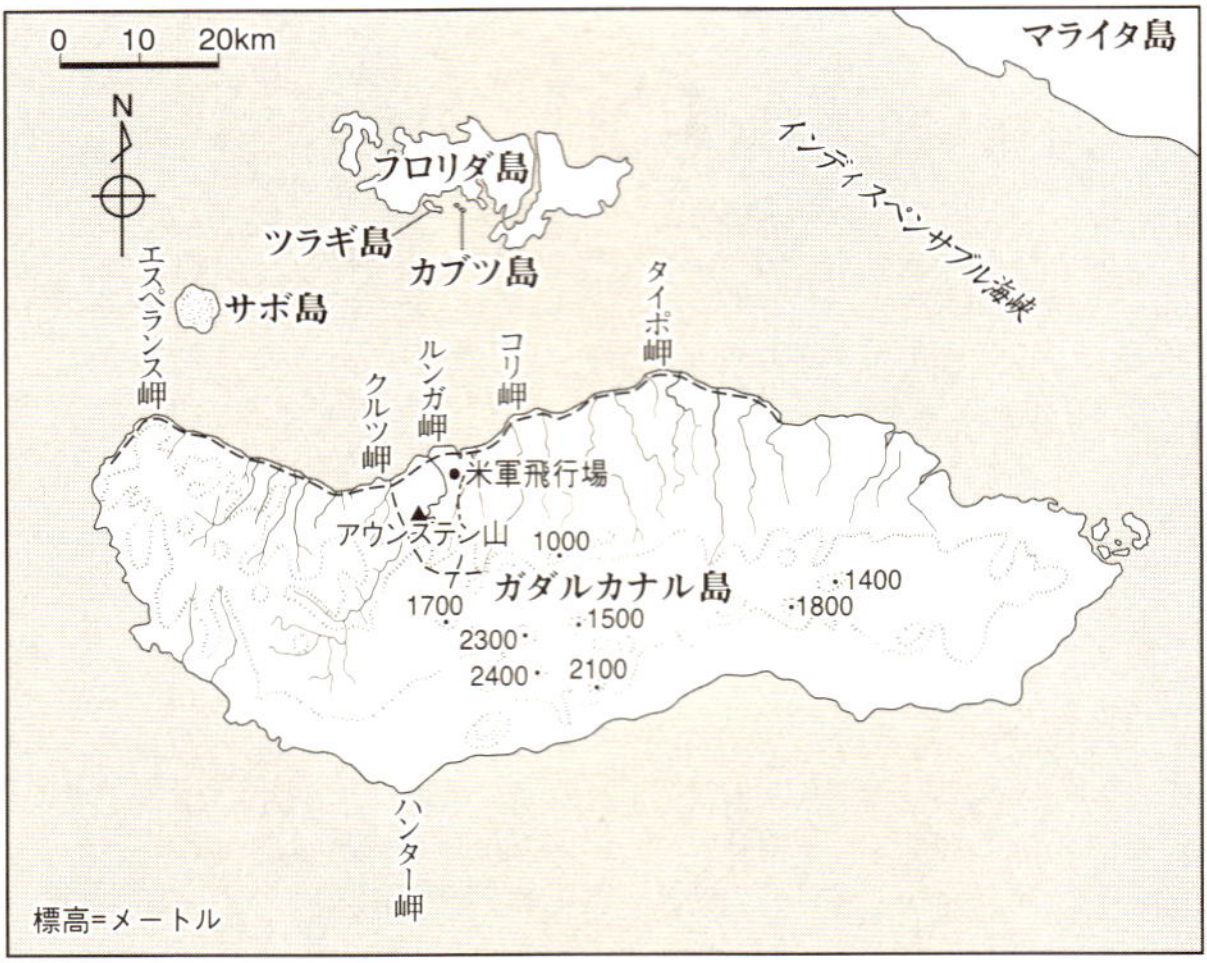

ガダルカナル島

だいに食べるものがなくなる。トカゲやヘビ、ミミズ、雑草と何でも食べた。中には、こんな噂も流れたという。

「本当かウソか知りませんが、前線の兵士たちはもう食べる物がなくなって、アメリカ兵の人肉を食べたというのです。そういう噂が広まっていました。我々の知る限り、そんなことはなかったと思いますが……」

ジャングルの中で、ボロをまとい、頭髪も伸び切ってハダシで真っ黒な顔の者に出会う。てっきり原住民かと思ったら、日本語で「お前、日本人か？どこの部隊だ？」と話しかけられる。

生き残った誰もが、そうしてジャン

グルの中を、痩せ細った体で目だけギラギラ光らせ、うろうろしていた。そうするしかなかった。

もはやアメリカ軍と戦闘らしい戦闘をする余裕もなかったという。アメリカ兵は、自分たちの基地の近くに日本兵が来ても、慌てるわけでもなく、悠然としている。なぜなら、たとえ日本兵が銃を一発でも撃ってきたとしても、すぐにアメリカ兵はそれ以上の銃弾を撃ち返すことができた。圧倒的な戦備の差があり、日本兵が撃ってこないことはわかりきっていたからだ。

小隊長であったという人物からは、こんな話も聞いた。ガダルカナルでは不思議なことがあったという。

ジャングルに逃れていった者たちは、みな夜中に行動することが多かった。闇に紛れて何人かの仲間と行動していると、必ずそこを狙い澄ましたようにアメリカの爆撃機が来て爆弾を落としていく。密林の中でレーダーが感知できるわけもない、まして声を聞きつけて狙ってくるなどということもないだろう、どうして居場所がわかってしまうのか、みな頭をひねっていた。念のために声もひそめて話すようにしたが、それでもやっぱり狙われてしまう。

ガダルカナル島、河畔を埋めた日本兵の遺体

戦後になって、どうして居場所がわかったのか、ようやく判明したという。何とガダルカナルのジャングルの中、全地域に、マイクロフォンが仕掛けられていたのである。どんな小さな声で話していてもマイクに声が拾われてしまい、居場所がすぐさま基地のアメリカ軍司令部に筒抜けになってしまうというのだ。

「その時は分りませんでしたけど、今考えれば、全くレベルの違う国と戦っていたんだなぁと、つくづく思いますよ……」

そう語ってくれた。

ガダルカナルから全面撤退がようやく決まったのは、昭和十七年十二月三十一日であった。

撤退は、ラバウルの基地から駆逐艦が夜陰に乗じて三度にわたり着岸し、一万人を超える日本兵を引き上げさせた。この撤退作戦だけは、いく度かのアメリカ軍の攻撃を受け何人かの犠牲は出たものの、大なる損害もなく成功した。

二月九日午後七時の「大本営発表」では、こう発表された。

「ソロモン諸島ガダルカナル島に作戦中の部隊は、昨年八月以降、引き続き上陸せる優勢なる敵軍を同島の一角に圧迫し、激戦敢闘克《よ》く敵戦力を撃摧《げきさい》しつつありしが、その目的を達成せるにより、二月上旬同島を撤し他に転進せしめられたり」

これは「撤退」ではなく、飽くまで「転進」だと、大本営の参謀たちはくだらない言い換えにのみ拘っていた。

誰も発しなかった「問い」

昭和十七年という年を年表で概観してみれば、空母同士が交戦した「珊瑚《さんご》海《かい》海戦」や、「ソロモン海戦」、「ポートモレスビー攻略戦」など、散発的な衝突はいろいろと見られる。だが、それらはいわばまだアメリカと〝五分と五分〟が保たれていた戦いであった。

しかし、「ミッドウェー」と「ガダルカナル」の二つの戦場での決定的な大敗は、この戦争のターニングポイントといえた。

昭和十七年五月までは、日本は東南アジアをあっという間に席巻してしまうほどの勢いだった。それが、ここに来て急にエンストしてしまったのだ。

この時の日本の軍事指導者には、考えるべきことが多くあったと思う。ここでそれを確認しておこう。

例えば、もし「ミッドウェー海戦」で戦争を終結していたら……。もちろん、これはありえない歴史上の「イフ」である。しかし、吉田茂がひそかに和平工作を模索しているなど、その時点で全く可能性がゼロだったとは言い切れない。

「戦争を終結させる」とはいわない、なにせまともに「戦争の終結」像すらも日本の首脳部は考えていなかったのだから。でも、せめて〝綻《ほころ》び〟が出始めた昭和十七年末の段階で、「このままの戦い方でいいのか」、あるいはもっと単純に「この戦争は何のために戦っているのか」と、どうして立ち止まって、誰も顧みなかったのか。

一般の国民には、ほとんど正しい戦況は知らされていなかった。「軍政」に携わる将校とて、一〇〇パーセント正確な戦況は伝えられてはいなかった。知る立場にあった唯一の者たちは、「大本営作戦部」のエリート参謀たちだけである。

しかし、その大本営は、自分たちに都合の悪い状況を隠すことのみに汲々とし、決して自己省察などしようとしなかった。「戦争の目的は？」と聞かれれば、「自存自衛のため」などときれいごとを述べているだけであった。

本書の第一章で見てきたように、大本営に集まってくる人材は、日本のトップ・エリートであった。それが、この体たらくである。

私はこれまで、太平洋戦争中に戦争指導者たちが行ってきた「大本営政府連絡会議」を始め、様々な会議の資料をずいぶん当ってきた。しかし、一度として「この戦争は何のために続けているのか」という素朴な疑問に答えた資料、あるいは疑問を発する資料さえ目にしたことがない。

彼らが専ら会議で論じているのは、「アメリカがA地点を攻めてきたから、今度は日本の師団をこちらのB地点に動かし戦わせよう」といった、まるで将棋の駒を動かすようなことばかりであった。それで二言目には、「日本人は皇国の精神に則り……」と精神論に逃げ込んでいってしまう。物量の圧倒的な差が歴然としてくるにつれ、彼らは現実逃避の世界に陥っていくしかなかった。

資料に目を通していて痛感した。軍事指導者たちは〝戦争を戦っている〟のではなく、〝自己満足〟しているだけなのだと。おかしな美学に酔い、一人悦に入ってしまっているだけなのだ。兵士たちはそれぞれの戦闘地域で飢えや病いで死んでいるのに、である。挙句の果てが、「陸軍」と「海軍」の足の引っ張り合いであった。

この頃から、両軍お互いの意地の張り合いが、目に付くようになっていく。バカげたことに、それぞれが自分たちの情報を隠しあってしまう。

「日本は太平洋戦争において、本当はアメリカと戦っていたのではない。陸軍と海軍が戦っていた、その合い間にアメリカと戦っていた……」などと揶揄されてしまう所以である。

陸軍と海軍の意地の張り合いは、「大本営発表」が最もいい例であろう。大本営「陸軍報道部」と「海軍報道部」が競い合って国民によい戦果を報告しようと躍起になっていた。やがてそれがエスカレートしていき、悪い情報は隠蔽されてしまう。そして虚偽の情報が流されるようになっていく。「大本営発表」のウソは、この時期からより肥大化が始まる。

仕方ないのかもしれない、この当時、東條に向かって「東條閣下、この戦争は何のために戦っているのでしょうか」などと意見するような者がいたら、たちまちのうちに反戦主義者として南方の激戦地に転任させられてしまうのがオチである。

危機に陥った時こそもっとも必要なものは、大局を見た政略、戦略であるはずだが、それがすっぽり抜け落ちてしまっていた。大局を見ることができた人材は、すでに「二・二六事件」から三国同盟締結のプロセスで、大体が要職から外されてしまい、視野の狭いトップの下、彼らに逆らわない者だけが生き残って組織が構成されていた。

昭和十七年の頃の日本は、喩えていえば台風が来て屋根が飛んでしまい、家の中に雨がザーザー降り込んできているのに、誰も何もいわない、雨漏りしているのに、わざと見ないようにして、一生懸命、玄関の鍵を閉めて戸締りなどに精をだしている……、そんなようなものだった。

だが、そうした組織の〝体質〟は、今を顧みても、実は、そう変わらないのかもしれない。

昨今のNHKの、海老沢勝二元会長をめぐる一連の辞任騒動や西武グループの総帥、堤義明の逮捕劇など見ていると、当時の軍の組織構造と同じように見えてしまう。あれだけ大きな組織の中でワンマン体制が敷かれ、誰も彼に意見できず、傲慢な裸の王様の下、みな従順に飼い馴らされてきたのだ。そして、危機に直面すると、何の具体策もない精神論をふりまわす。

ここで対照的に、この時期のアメリカの様子も見ておくことにしよう。

「真珠湾攻撃」がアメリカ国内に与えた影響力は、それは計り知れぬほど大きかった。「リメンバー・パールハーバー」「ダーティ・ジャップ」がスローガンとなり、日本への憎悪は国中を動かしていった。〝暴力への恐れ〟で国内が一致した日本とは全く対照的に、自発的に国民の力が結集されていったのである。

「真珠湾」後すぐにアメリカで発行された戦時国債には、誰もが挙《こぞ》って買いに殺到した。軍には、大学が閉鎖してしまうぐらい、志願兵が集まった。

当初、日本の軍部では、アメリカが本格的に反攻に出てくるのは昭和十八年の後半からだと予想していた。平時態勢から戦時態勢に切り替わり、戦車や戦闘機など戦備の生産をフル稼動しても、そのぐらいの時間はかかるだろうとの読みであった。しかし、その読みは全く甘かった。

兵力はもとより、銃器類、それに空母や駆逐艦など、昭和十七年の終わり頃にはもう充分の戦時態勢に入っていたのである。

またアメリカ海軍では、トップの位置にあったキンメル太平洋艦隊司令長官が「真珠湾」の責任を取って更迭され、代わりにニミッツ大将がトップに就いた。太平洋、アジアの戦略責任者は、陸軍を率いるマッカーサー大将と二人体制となっていた。

司令長官に就いたニミッツ提督とマッカーサー将軍は、早速、太平洋の戦略を考えた。そして「中部太平洋作戦」、別名「飛び石作戦」（あるいは「カエル跳び作戦」ともいった）案を作り出す。

マッカーサーはニューギニアからフィリピンへ北上していき、一方のニミッツはギルバート諸島、マーシャル諸島、マリアナ諸島へと分けて、日本の制圧している中部太平洋の島々を飛び飛びに攻撃していく。まさに「飛び石」作戦である。その道筋は「キングス・ロード」と呼ばれた。

日本の占領地域の要所、要所を落としていけば、補給路が断たれ、切り崩していける。ちょうどオセロゲームで駒をポイントに置けば、自然に黒から白へ全部、引っくり返っていくようなものだった。そして「ミッドウェー」「ガダルカナル」もその〝要所〟の一つであったのである。

ニミッツの、〝要所〟である地点を攻撃する方法は徹底していた。飛行場、司令部のある場所だけを狙って、草木一本も残らないぐらいに一週間ほどかけて徹底的に爆撃する。中枢機能を麻痺させておいてから、空母輸送船で大量の海兵隊を上陸させた。その代わり、戦略上〝要所〟に当らないと見切った地域には見向きもしなかった。

戦後、俳優の加東大介が自らの体験を元に映画化し、公開された、『南の島に雪が降る』という作品がある。加東は西部ニューギニア戦線に動員されていた。その時の模様を描いていた。

そこでは、みな日がな一日、芋を栽培したり、畑仕事などをして暢気に暮している。たまに頭上をアメリカの戦闘機が通っていくのだが、攻撃してくるわけでもなく、ただボンヤリ眺めている、そんな具合であった。

「飛び石作戦」の〝要地〟に当らない地では、補給路こそ断たれて食糧はなかったが、「ガダルカナル」でのように生死の境をさまようわけでもなく、のんびりしたものだったのである。

基礎知識5　マジック

日米開戦に至る前から、実は日本の暗号電報はアメリカ側に筒抜けだったのである。アメリカ陸軍通信部に在籍したウィリアム・フリードマンは〝暗号の天才〟の異名を取る人物であった。彼は、日本が昭和十二（一九三七）年以降、外交時に使っていた暗号機の暗号解析に没頭し、十五年には成功していた。暗号解読機は、日本の機密文書を「紫」と呼んでいたのにちなんで「パープル」と名付けられた。そして解読された暗号文は「マジック」と呼ばれ、ルーズベルト大統領、ハル国務長官らわずかの政府首脳と、信頼できる同盟国の指導者としてイギリスのチャーチル首相にも届けられていた。

日本では、昭和十六年の開戦直前、最終提案である「甲案」「乙案」をはじめとして、東京の外務省から在米日本大使館に宛てられ打たれた暗号電報は、ことごとく読まれていたのである。既に開戦に向かって進んでいる日本の裏事情もアメリカ側には筒抜けだったのだ。

戦時下でも日本は、暗号が読まれていると知らず悲劇を生んでいく。

2　曖昧な〝真ん中〟、昭和十八年

太平洋戦争を扱った本を開くと、たいていが昭和十七年前半までの「快進撃」の様子と、それに破滅へと向かう昭和十九年のことは、詳しく書かれている。しかし、その間に挟まった「昭和十八年」という年はあまりはっきりと描かれていない。何かこの年は、全体的に靄《もや》がかかったように判然としない印象がある。

でも考えてみれば、東南アジアのほぼ全域を制圧した昭和十七年での状況から、いきなり昭和十九年のような〝半狂乱〟と化した惨状へと移り変わっていくわけではない。破滅に至るまでには、順を追った必然性があったのである。

ある意味、昭和十九年そして二十年は、既にもう敗戦一直線のレールが敷かれてしまっていた年であった。日本はそのレールの上をただひたすら破滅に向かって走らざるをえなかった。だが、昭和十八年は、まだ〝舵取り〟をできる余地があったのだ。

この年、日本はどのようなことを考え、どういう行動を取っていたのか——、しっかりと見ておく必要があるだろう。昭和十八年という〝歴史〟から学びとるべきことは、実はあまりにも多くあるように思う。

そして昭和十八年を語るには、まず「山本五十六の死」から始めなければならないだろう。

〝狂言回し〟としての山本五十六

連合艦隊司令長官・山本五十六が、ブーゲンビル島の上空でアメリカの戦闘機に撃墜され死んだのは、昭和十八年四月十八日だった。

山本の死は、日本にとっても、アメリカにとっても、太平洋戦史の時代を区分する大きな出来事であった。

山本の死後、その死は一ヶ月以上も日本国民に伏せられていた。

真珠湾攻撃を成功させ、連合艦隊司令長官として指揮を執る山本は、国民にとって〝頼れる指導者〟だった。いわば目に見える象徴的存在だったのである。その山本が亡くなれば、国民の間に動揺が走ることは火を見るより明らかであった。死が一ヶ月以上も伏せられたのは、国民の動揺を防ぐための手を打っていたからであった。

五月二十一日、大本営は初めて山本の死を、こう発表した。

「連合艦隊司令長官海軍大将山本五十六は本年四月、前線において全般作戦指導中、敵と交戦、飛行機上にて壮烈なる戦死を遂げたり」

続く六月五日、日比谷公園に設けられた斎場で山本の国葬が行われた。一般市民数万人が集まり、参列したという。またこの日、午前十時五十分を遥拝時間と定め、全国の職場や学校では一斉に黙禱がなされた。

太平洋戦争史にはいろいろな登場人物が現れるが、私は、山本は非常に重要なキーパーソンの一人だと考える。ただ何もそれは「真珠湾攻撃」を成功させた連合艦隊司令長官という英雄的な面だけではない。〝狂言回し〟の存在として、である。

連合艦隊司令長官という立場の者は、太平洋上全域に展開する艦隊の動き全てに精通し、監督していなければならない。本来ならば、東京か連合艦隊基地のある広島県呉などにいて、指揮を執っているべきはずであった。だが、山本は違った。飽くまで前線に拘った。

四月七日、零戦はじめ合計四〇〇機を動員した航空部隊による、大規模なニューギニアのアメリカ軍飛行場攻撃作戦が遂行された。「い号作戦」という。出撃は七日から十四日にかけて、四回に分けて行われ、表面上はかなりの戦果を挙げたことになっている。

山本はこの作戦の前線に赴き、直接、指揮を執っていた。

「い号作戦」戦果の報を受けると、ラバウルにいた山本は、その後、支配下においた近くの前線飛行場、ブーゲンビル島を視察することにした。山本視察の日程は、早速、暗号電報として現地の日本軍基地に発信された。

ところが、その暗号電はアメリカ軍にすっかり傍受、解読されてしまっていたのである。飛行コースから何時何分にどこに着くのかまで、正確に読まれていた。

解読内容は、アメリカ太平洋艦隊司令長官ニミッツに報告された。ニミッツにとって敵の指揮官暗殺の、またとない好機到来であった。

この時、ニミッツは部下の情報参謀レイトンを呼んで、ある確認を行っている。それは「日本軍の司令官の中には、山本亡き後、彼以上に優れた指導者はいるのか」と。

つまり、これまでの戦いで山本の立てる作戦のパターンは読めてきた。彼を殺害してしまって、また新たに研究を要すべき、優れた指揮官が出てきてしまうのは厄介だ。ならば生かしておいて利用するのがいいのか、それともやはりこの機会を利用すべきなのか……。

するとレイトンはこう答えた。

「日本には、山本よりも優れた指揮官が一人います。山口多聞《たもん》という男です。プリンストン大学に留学の経験もある優秀な人物です。しかし、彼はミッドウェー海戦で既に戦死しています。だから、現在、山本と同じレベルの指揮官は日本にはもういません」

　こうして山本機の撃墜計画が決まった。

　四月十八日午前七時半ごろ、暗号電の通り、六機の護衛機を引き連れた山本の乗る一式陸攻機がブーゲンビルにやって来た。待ち伏せしていたミッチェル隊長率いる一六機のうち四機の戦闘機が、易々と山本機を撃墜。不意討ちを食らった機はジャングルに落ちていった。

　作戦成功の報を聞き、指揮していたハルゼイ大将はミッチェル攻撃隊長に、「撃墜した獲物の鴨の中に、孔雀が一羽交じっていたようだな、おめでとう」と祝電を打った。

　皮肉にもこの日は、山本に「ミッドウェー作戦」を決意させる要因となったドゥリットルによる日本本土初空襲からちょうど一年目に当っていた。

　山本は実は〝死に場所〟を求めていたという説がある。

　事実、側近だった副官は、山本がラバウルを出発する前に遺書めいた書簡を何人かに送っていたと、証言している。またしばしば「日本は、もうこれからアメリカの反撃を受けて、状況は悪化するばかりだ」と口にしていたともいう。

開戦前に遡ること、昭和十六年の夏、山本は戦争の見通しを聞かれて、「半年か一年の間は暴れてごらんにいれる。しかしながら二年、三年となれば全く確信は持てぬ」と明言していたことは前述した。「真珠湾」で大成功を収め、しかしその半年後、やはり自ら計画を立てた「ミッドウェー」では大敗した。考えてみれば、山本は自分の言葉通りに実行した形となった。

ラバウルの前線で指揮する山本五十六

さて、ここで考えてみたい。山本は、アメリカも認めていたぐらいに、〝戦術家〟の指揮官として天才的な軍人であったのは間違いない。しかし、果して指導者としての器はどうであったのだろうか。

山本というのは、大の博打好きで知られていた。作戦遂行中の戦艦の中でも、常時、ポーカーやブリッジに興じていたという。

いってみれば、「真珠湾攻撃」も彼の〝大博打〟だったのだ。

別にそれを批難しているのではない。それが彼のユニークな持ち味だったのだと思う。大本営の作戦部で無為無策に、地図を見ながら「アメリカ軍がここまで来たから、こっちの部隊を動かせ」などと、机上の駒を動かしているだけの者たちよりずっと優れた指揮官である。

山本が作戦を練る際、知恵袋とした黒島亀人《かめと》という参謀がいる。〝右腕〟としてずいぶん信頼していた。

この黒島という男が、また非常にユニークだった。貧しい生まれながらも苦労して海軍兵学校、大学校を卒業し、才能一つで上り詰めた人物であった。人が思いつかないような奇想天外な作戦を思いつく一方、だが普段の生活はまるで奇矯であった。

日がな一日、真っ暗な部屋の中に褌《ふんどし》一丁で閉じこもり、瞑想して作戦を考えている。誰とも口をきかず、風呂にも一切入らないという、そんな偏屈ぶりでもあった。

山本は、「海軍大学校を出たエリートというのは、どこを切っても同じ金太郎飴のようなものだが、黒島だけは優秀な軍人である」と公言していた。

山本、黒島のラインによる作戦計画は、確かに常人が思いも及ばない閃《ひらめ》きがあった。しかし、それは所詮一つの〝戦術〟にすぎないだろう。戦争全体を見極めて、どう行動を取るのか、そうした〝戦略家〟とはなりえなかった。大局に立つ〝戦略〟があってこそ、それを成り立たせるための一つ一つの〝戦術〟が生きてくるはずである。

ニミッツが、図らずも「山本の他に、もっと優れた指導者はいないのか」と問うたというが、不幸なことに日本には、山本の他には「優れた指導者」はいなかったのである。

アッツ島の「玉砕」はなぜ起きたか

西部太平洋の要所の島々を一つずつ落とし、「キングス・ロード」として北上していく――。「飛び石作戦」こと「中部太平洋作戦」は、ニミッツ、マッカーサーが目論んだ通り、日本の制海権を次第に切り崩していった。

オーストラリア近くの太平洋の島々から、フィリピン、ビルマ（現在のミャンマー）、ベトナム、中国の雲南省に至るまで、延びきった日本の制圧地域はまさに〝面〟であり、それらの地域全てに常時目配りしていなければならなかった。少しでも手薄なところがあれば、そこが狙われてしまう。常に脅えていなければならなかった。

だが、逆にアメリカからすれば〝線〟を追って、自分たちが決めたポイントを絞り、好きに叩けばいい。無駄な攻撃をする必要はなかった。どうしても日本としては後手後手に回らざるをえない状況であった。

太平洋の制海権は南西部だけに限らない。北部、千島列島からアメリカのアラスカにかけての海上に位置するアリューシャン列島にも延びていた。

そこに「アッツ島」という小さな島がある。このアッツ島が悲劇の島となった。

アッツ島には、アラスカ方面から来るアメリカ軍を防御する日本の前線基地が置かれていた。山崎保代《やすよ》を部隊長とする北海守備隊約二五〇〇名が駐屯する。しかしアッツ島では、前線基地を置いて以来、特に戦闘らしい戦闘は何もなく、隊員たちはみな魚を釣ったりして、気楽な駐屯生活を送っていたというのである。まさかアメリカ軍が、このアッツ島を日本本土を包囲する〝線〟上の一つと考えていたとも知らずに……。

五月十二日、空母部隊援護の下、約一万一〇〇〇名のアメリカ兵が、突如、アッツ島に上陸を開始した。

「アッツ島襲撃」の報は大本営にもたらされた。北の防衛拠点であるアッツ島を敵の手に渡すわけにはいかないと、当初は増援部隊を送ることが守備隊に連絡された。しかし、やがて助けの増援部隊を送ろうにも、送るための輸送船がみな南方に出てしまっており、増援部隊を送りようがないことが判明する。

アッツ島の守備隊の元に「増援は諦めざるをえない」、そう打電されたのは十九日のことであった。さらにその数日後には、それどころか、守備隊を撤収させるための艦も差し向ける余裕はない、とも。

そして二十三日、必死で抵抗を続けるアッツ島の守備隊の元に、大本営から無情な命令が届く。

「最後に到らば潔く玉砕し、皇国軍人精神の精華を発揮する覚悟あらんことを望む」……。戦略的にこの地は意味がないと判断して切り捨てられたともいえた。

守備隊は、この言葉通りを実行した。こうしてアッツ島は最初の「玉砕」地となった。無残な状況だった。もはや力の差は明らかである。守備隊には、弾薬も残っていなかったのだから。

アメリカ軍は日本兵に「抵抗をやめて、投降しろ」と呼びかけた。しかし呼びかける

アッツ島の守備隊員たち

のだが、守備隊員たちは一向に言うことを聞かない。それどころか、全員で自分たちの足を縛り一塊となって、「ワーッ」と叫びながら向かってきた。そうアメリカの戦史にはある。銃も使えないので鎌や棒を手にしているだけであった。

「バカなことはやめろ、投降しろ」とアメリカ兵は何度も呼びかけた。しかしいくらいっても聞かない。仕方なく、撃つと何人かが倒れる。だが、それでも一団はその屍《しかばね》を引き摺って向かってきた。

日本の軍人が徹底的に教え込まれた「戦陣訓」には「生きて虜囚の辱を受けず、死して罪禍の汚名を残すこと勿れ」という有名な一節がある。いかなるときも「捕虜になってはいけない」という根本教育がなされていたのであった。

日本の兵士たちは、〝戦時ルール〟というものを全く知らなかった。一兵卒はもちろんのこと、士官養成学校でも教えられることはなかった。

第一次大戦前から、オランダのハーグで決められていた「戦時国際法」では、きちんと「捕虜の扱い」について明記している。「捕虜には食事を与えなければならない。作業を課してもいいが、その作業が祖国のためにならないことであれば、拒否する権利もある」というような内容が書かれている。そのほか多くの国際法規があるのだが、二十世紀の戦争は一定のルールのもとで戦われるという約束ができあがっていたのだ。

余談になるが、真珠湾攻撃の際、「特殊潜航艇部隊」として参戦した酒巻和男という海軍軍人がいる。酒巻は、特殊潜航艇に乗ってアメリカ軍基地に侵入を試みたが、攻撃を受けて人事不省となり、アメリカ軍に捕まってしまい、「捕虜第一号」となってしまった。

そこで、彼は初めてアメリカ軍から国際条約に基づく捕虜の扱いの説明を聞き、「そんなものがあるのか」と、驚いてしまったという。これは彼からの直話だが、実際に、酒巻はアメリカ軍にそう言われ、日本軍を罠にかけるための鉄条網作りを命じられた時、拒否し、それがまた認められたという、戦後になっての彼の述懐は、私には印象深かっ

戦後、引き揚げられた特殊潜航艇

た。

それに比べて日本軍はというと、戦時ルールなんてものは全く無視、毛頭もなかった。日本兵にとっては、「生きて虜囚の辱を受けず」だけである。だから、アメリカ人を捕虜にしたら、拷問を加え、なぶり殺しにしてしまうことすらあった。同じ発想から玉砕も行われてしまうのだ。

大本営はこのアッツ島の全滅を、「玉砕」という言葉を使って国民に発表した。

まるでこの言葉には〝潔さ〟の美学があるかのようである。しかし、そこには知性も理性も、国際的な感覚もない、あるのは〝自己陶酔〟だけなのである。

しかし、以後、アッツ島は最初の玉砕として、山崎部隊につづけとばかりにますます美化されていった。こんな歌まで作られた。

一、刃《やいば》も凍る北海の
御楯《みたて》と立ちて二千余士
精鋭こぞるアッツ島
山崎大佐指揮をとる
山崎大佐指揮をとる

五、火砲はすべて摧《くだ》け飛び
僅《わず》かに銃剣手榴弾
寄せ来る敵と相撃ちて
血汐《ちしお》は花と雪を染む
血汐は花と雪を染む

八、他に策なきにあらねども

武名はやわか穢《けが》すべき
傷病兵は自決して
魂魄《こんぱく》ともに戦えり
魂魄ともに戦えり

九、残れる勇士百有余
遥かに皇居伏し拝み
敢然鬨《とき》と諸共に
敵主力へと玉砕す
敵主力へと玉砕す

（「アッツ島血戦勇士顕彰国民歌」ＪＡＳＲＡＣ出０５０５６９５－５０１）

十八年十一月には、南洋のギルバート諸島にあるタラワ島、マキン島で、柴崎恵次《けいじ》海軍少将率いる四六〇〇名の守備隊が玉砕。そしてこの後も「玉砕」という言葉は「大本営発表」で何度も使われ、耳にしていくようになる。やがて国民にとって、まさに日常茶飯事のごとく浸透していくことにもなるのであった。

一定の枠内で戦えばいい、それ以上、無益な死になるのなら捕虜になれ、そして敵の中にあってその戦力を消耗させせよ、というのは、二十世紀の戦争の鉄則である。玉砕などというのは、戦時下における日本の国民性さえ愚弄する軍官僚の知性の退廃であった。

大本営が作った空虚な作戦「絶対国防圏」

さて、昭和十八（一九四三）年当時のヨーロッパの情勢はどうであったか——。

ナチス・ドイツは、既にフランスやオランダを制圧下におき、さらに東部戦線でソ連へと侵攻していた。しかし、一九四三年一月のスターリングラードの戦いで大敗を喫してしまう。ドイツ兵たちのほとんどが捕虜となった。

ソ連に手を出したことは、ドイツにとって完全にミスリードであった。ここから戦局が一転していく。中近東、北アフリカの戦線でも、次第にイギリス軍の反抗にあい、押されていき、枢軸国はだんだんと追い詰められていった。ちょうどドイツが、アウシュビッツ収容所などでユダヤ人を虐殺し始めたのも、この頃からであった。

一月には、連合国側ではもう既に勝利を確信し、ルーズベルトとチャーチルにより第二次世界大戦〝後〟のことが話し合われていた。「カサブランカ会談」である。

そこでは、ナチスとムッソリーニ政権を支えた者たちの、戦争犯罪人を指定するリスト作りを始めることも決定した。日本の指導者も、その戦争犯罪人指定のリストに入れようとしたが、天皇「ヒロヒト」と東條ぐらいしか名が挙がらなかったという。まだこの段階では、日本の指導者像はよく知られていなかったようである。

またアメリカの国務省では、日本に勝利した後の支配方法をも考え始めていた。こうした政治工作も、軍事工作の一方で進められていたのだ。

そしてアメリカは、軍事作戦でも新たな方針を打ち出していた。「飛び石作戦」の次なる段階として、グアム島、サイパン島などマリアナ諸島の攻略である。

アメリカ側の最終的な目標は日本本土の制圧であった。そこに至る足がかり、つまり日本本土を空襲するために、往復の飛行が可能な地点を獲得することが当面の目標とされた。その地点として最適なのがマリアナ諸島なのである。

「日本は制海権を守るために必死の反攻をするだろう。特に、沖縄を制圧する辺りが最も抵抗が激しくなるはず。今の段階で、なるたけ物量的に日本海軍の力を削いでおくことが肝要である」とも通達された。ターゲットは陸軍よりも海軍の方に重点を置き、制海権を奪取するとの方針であった。

アメリカ軍は、マッカーサーの指揮で九月にニューギニアのラエ、サラモア、フィンシュハーフェンを次々に奪還していった。十一月には、山本五十六が撃墜された因縁のブーゲンビル島を制圧する。

「ブーゲンビル島」は日本にとっても前線基地の重要地点であった。日本はトラック島に、戦艦「大和」「武蔵」を始め、大規模航空部隊と連動する連合艦隊の拠点を置いていた。ブーゲンビル島は、その目と鼻の先にあった。

さて、日本でも、十八年九月三十日の御前会議で、「絶対国防圏」という新作戦方針が決められている。

この方針では、「日本が〝絶対〟死守すべき地域として、千島、小笠原、内南洋、西部ニューギニア、スンダ、ビルマを含む圏域」と決められた。そして「この領域が破綻すると、もう日本に軍事的な勝利はない」とも補足されていた。

「絶対国防圏」などというと聞こえはいいが、実際は、大本営作戦部の参謀たちが地図上を眺め、何の根拠もなく延びきっている日本の制圧地域に線を引いただけのものである。戦後、私が話を聞いた参謀たちも「あれは単なる〝作文〟にすぎなかった」と述懐していたほどだ。実行力の伴わない願望であった。

しかし、その何の根拠もない空虚なものが、以後、「このラインを絶対に死守すべし」と、大本営のお題目となっていく。硬直化した発想以外の何物でもなかった。

トラック島は「絶対国防圏」に当った。ブーゲンビル島をアメリカに制圧されたということは、もう既に「絶対国防圏」の喉元に切先を突きつけられているようなものであった。

この「絶対国防圏」が表しているように、昭和十八年後半になっていくと、日本の戦時指導そのものが硬直化し、もはや末期症状となりつつあった。

大本営は、相変わらず「船を造れ」「飛行機を造れ」と、要求ばかりを繰り返す。ひどいもので、それを真に受け、生徒の勤労動員が本格的に始まり、中学生たちは工場で働くのが日課となり、実際には授業などは中止になった。国民学校（小学生）からの勤労動員さえも決められた。

しかしいかに労働力をそれで満たしても、鉄や銅、アルミ、ジュラルミンなど材料がなければ造りようがない。輸送船が間に合わず、物資が東南アジアから届かないのだ。

では、どうしたかというと、寺院の鐘や仏具、商店の看板、あるいは手摺、門扉、一般の国民の持つ装飾用貴金属なども回収し、溶かされて、軍需物資に充てられた。しかしそれでも間に合わず、鉄やジュラルミンの代わりに木で飛行機を造るといった有様であった。

軍需工場で働く小学生（昭和国民学校生）

軍需物資だけではなく、食糧、嗜好品も不足し、配給制となっていった。こうして日本経済は一気に底をついていく。空襲こそまだなかったものの、国民の生活は次第に窮屈となっていた。映画、流行歌は統制され、すでに昭和十六年十二月の開戦直後には、「言論出版集会結社等臨時取締法」が発布されており、実質上の言論統制もなされていた。

言論統制がなされていても、既にうすうす国民には「戦況はよくない」ということが知れ渡ってきており、その流言蜚語を取り締まるために憲兵が動員された。

〝戦時時限立法〟として作られたこの法案に関して、議会でこんなやりとりがあった。以下は、第七十八回帝国議会での質疑応答の一コマである。

勝田永吉議員から東條は「戦時」の意味を問われ、こう質問を受けた。

「〝戦時中〟の意味を伺いたい。（略）首相の言う戦時中とは、宣戦の御詔勅を受けてから、講和談判ができて、条約が御批准になったときに終るのか」

それに対して東條は「平和回復、それが戦時の終わりです」と答えるだけだった。しかし、それでは納得のいかない勝田から、さらに「戦時」の具体的な意味を突き詰められるが、その後の答弁もまた曖昧だった。つまりはそうした質問に答えられず、しばし立往生してしまった。見かねた委員長が「首相、この件については法制局長官に答えさせた方がいいのでは」と助け舟を出す有様だった。

昭和十八年に戦況が悪化すると、東條の演説や側近への話には筋道の通らない論理が含まれるようになった。たとえば、「戦争が終るということは、戦いが終った時のこと、それは我々が勝つということだ。そして、我々の国が戦争に勝つということは、結局、〝我々が負けない〟ということである」、という意味不明のことさえ口にした。あるいは「戦争は敗けたと思ったときは敗け。そのときに彼我《ひが》の差がでる」とも言うのである。

切羽詰って、無意識に口にするのだろうが、こうした発言は東條の戦争観が窺え、た

第七十八回帝国議会で演壇に登る東條英機

いへん興味深い。

「戦争」というのは、結局、東條にいわせれば、「敗けた」と言ったときに初めて負けになるのである。スポーツの得点差などで勝敗を決するといった、理にかなった考え方ではない。幼稚な意地の張り合いなのだ。

例えば、AとBが喧嘩していたとする。AはBをさんざん殴り、「お前が参ったといえば、もうやめる」といっている。でも、もしBがどんなに殴られても、極端な話、Bが死んでしまっても、「参った」といわなければ、Bは負けていないことになってしまう……。

これは、もう呆れた精神論といわざるをえないだろう。

東條のこんなエピソードも紹介しておこう。

十月に、陸軍の飛行学校に、学生たちへのねぎらいも込めて、視察に行った時のこと。東條は学生に「B－29が飛んできたとする。そうしたら、君は敵機を何で撃ち落すか」と問い掛けた。問い掛けられた学生は教科書通りに「一五センチ高射砲で撃ち落します」と答えると、東條は「違う、そうじゃない。精神力で撃ち落すんだ」と語ったという。精神力の好きな東條らしい答えであった。

「天皇陛下は神であって、天皇陛下に帰一していれば、国体の輝くこの国は敗けるわけがない。戦っていまだかつて敗けたことのない国なのだから……」

それが東條の考え方だった。ことあるごとに、そう語っていた。

国民の側も、ウソの情報に振り回されていた。国民自身が、客観的に物を見る習慣などなかったから、上からもたらされる〝主観的な言葉〟にカタルシスを覚えてしまっていた。「今は苦労するけれど、いずれは勝つんだ……」そういう考えに耽っていってしまったのである。

恐るべきドグマが社会の中に全体化していた。

開き直る統帥部

アメリカの「飛び石作戦」は、昭和十八年の終りまでにブーゲンビル島を制圧し、トラック島も射程範囲に入れた。日本の言う「絶対国防圏」のほんの目の前まで迫ってきていた。

だが、決めたばかりの「絶対国防圏」が、そうした危機的状況にあるにも拘らず、日本の軍事首脳部は有効な手一つ打てずにいたのである。

この頃、既に「大本営政府連絡会議」「御前会議」という、日本の意思決定最高機関自体が混乱し、態をなしていなかった。「御前会議」は「連絡会議」で決まったことをただ追認するだけの場であり、また「連絡会議」にしろ、たとえそこで軍部がいったことを否定したとしても、軍は天皇のところに持って行き、勝手に判をもらってしまう。そうすれば、それで「勅令」として実行してしまえるのであった。

陸軍省軍事課にいた幕僚に聞いた話では、「議会が何を言おうが、関係ありません。我々が文章を作って、天皇の下にいる侍従官に強く言いおき渡しておく。それで判をもらって、〝勅令〟として実行すればいいだけの話だったのですよ」と平然と述懐していた。

昭和天皇は、太平洋戦争中、大権を持つ者として天皇の名の下に（署名してということと)、意思表明をする「詔書」は、「宣戦の詔書」と「終戦の詔書」の二つしか出していなかった(ただし政府や陸軍大臣の要請により、戦功のあった者を激励するなど、事務的なものはいくつか出している)。

国民に対して意思表示する「勅語」は二十ほど出しているが、これらの多くは、陸海軍の下僚たちが一方的に下書きをし、それを天皇が形式的に勅語とするものであった。

軍部の杜撰さは、戦術面でも窮まっていた。特に大本営の作戦部は、現場の状況を顧みることもなく、またアメリカ軍の動きを精査するわけでもなく、「絶対国防圏」を楯に、闇雲に数合わせのため部隊を動かしているだけであった。

昭和十八年春から参謀本部の情報部に籍を置いていた、堀栄三《えいぞう》から聞いたこんなエピソードを紹介しよう。

当時、彼は「日本のマッカーサー」とあだ名されていた。なぜなら、アメリカ軍が次にどこを攻めてくるかを、ことごとく当ててしまったからである。

どうしてそんなことができたのか、彼に言わせると、簡単なことだという。さまざまな情報を分析するとわかるというが、たとえばこんな方法も用いた。

参謀本部の情報参謀のもとには、アメリカの放送を傍受した内容が毎日のように届いた。その中には天気予報や株式市況なども含まれており、何気なく、毎日、それらの株式市況を眺めていたのだそうだ。すると、彼はある一つの法則を見出したのである。

それは、アメリカ軍の新しい作戦が始まる前には、必ず薬品会社と缶詰会社の株が急騰することであった。

堀は、それはたぶん兵隊に持たせるマラリアの薬と食糧を軍が大量に購入するからだ、と推測した。また、アメリカの放送は、今、どこの部隊が休暇中であるかを報道する。その休暇中の部隊がどの戦線に出てくるか、次の作戦展開の場になる地域を見抜いたのである。

「でも、確実だとわかっている情報でも、作戦部では見向きもしてくれませんでした。彼らは自分の頭の中にある考えだけが全てであり、たとえ私の持っていった情報が正しくても、相手にしませんでしたね」

せっかくの堀の情報も生かされることはなかったのだ。

一方で、アメリカ軍の攻撃を受けている戦場では、次々に制圧され、敗残、玉砕、あるいは捕虜にされと、兵士たちには悲惨な状況が繰り返されていった。

いったい誰が、どこの機関が戦争方針を決めているのかも、もうわからなくなってきていた。軸がなく、無責任にフラフラ動いているだけのような状態だった——。

〝とりつくろおう〟とした年

靄がかかったように曖昧でわかりにくい年だが、この「昭和十八年」は全ての物事が常軌を逸していった象徴的な時期であった。しかし、それでいてまだ充分、軌道修正ができる時でもあったのだ。

すでに述べた通り、国民には強制的な言論統制がなされていた。この年の初めから「敵性語を使うな」とか「敵性音楽を聴くな」という命令が内務省や情報局からだされた。カフェとかダンスといった語はすでに使われず、野球のストライクもまた「よし一本」という具合に変わった。電車のなかで英語の教科書をもっていた学生が、公衆の面前で難詰されたり、警察に告げ口されたりもした。

とにかく米英にかかわる文化や言語、教養などはすべて日常生活から追い払えというのだ。まさに末期的な心理状態がつくられていく予兆であった。指導者たちが自分たちに都合のいい情報のみを聞かせることで国民に奇妙な陶酔をつくっていき、それは国民の思考を放棄させる。つまり考えることを止めよという人間のロボット化だったのだ。

ロボット化に抗して戦争に悲観的な意見を述べたり、指導者を批判したりすると、たちまちのうちに告げ口をする者によって警察に連行されるという状態だった。

ドイツやイタリア、そして日本は枢軸体制を形成していたが、ドイツやイタリアにしても事の是非はともかく、ヒトラーのいう「第三帝国の建設」、ムッソリーニの「古代ローマへの回帰」といった国家目標があった。その国家目標のために戦争という手段を選択した。つまりはまずイデオロギーがあり、そしてそれを実現するために戦争という手段が選ばれた。もとよりこのふたつの国の国家目標は、日本とは何の関係もなく、これらの目標に沿っての戦争は日本人にとって実際になんらの意味もなかったのだ。

また、イデオロギーに沿って戦争という手段に訴えるために、戦争を準備する期間としてドイツもイタリアもそれなりに時間を費やしていた。政略と戦略があったのだ。ドイツにしてもイタリアにしても、日本は真の同盟相手ではなく、アメリカやソ連の戦力をそぐための〝利用できる仲間〟でしかなかった。

日本はどうだったか。戦争はイデオロギーや明確な国家目標があって始めたのではなかった。日中戦争しかり、太平洋戦争しかり。軍部が一方的に戦争を始め、それがアメリカにはあまりにも唐突だったために、たまたま戦果をあげることになったが、実際に反攻が始まるとたちまちのうちに日本は軍事的なほころびを見せた。

どの国とも異なって、まずは軍部が先陣を切って戦争という既成事実をつくりあげ、さてそれから戦争目的があたふたと考えられ、国民にはとにかく戦争に協力しろ、勝たなければこの国は滅ぼされると強権的に押さえつけることのみで戦われたのだ。昭和十八年はこうして始まった戦争を〝とりつくろおう〟とした年というべきだった。聖戦遂行という語がよく用いられたが、聖戦の意味もわからずにやみくもに戦争が続けられている状態でもあった。

この年十一月に、日本は占領地域の、あるいは日本と意を通じている親日派の指導者を集めて、大東亜会議を開いている。その目的は、ひとつに、大東亜共栄圏の国々と連携をしているという姿を連合国に見せること。もうひとつは、アメリカ、イギリス、中国の指導者が開くというカイロ会談に対抗して、日本がアジアの国々に独立を約束するというポーズを見せることだった。とにかく〝聖戦をとりつくろおう〟という焦りが見てとれる。

大東亜会議には、中国の汪兆銘政府や満州国、ビルマ、フィリピン、タイの代表、それにインド独立運動に挺身するチャンドラ・ボースなどが集まり、表面は盛況に見えた。

しかしどの政府も、日本がアメリカとの戦争に勝利するとは考えていなかった。それどころか、いかにも義理で参加しているとの表情を隠すこともなかった。

とくに象徴的だったのは、晩さん会が開かれた東京會舘の会場にアジアの地図が大きく飾られていて、その占領地域に日の丸の旗が掲げられていたことだった。どの国の指導者もこの地図を見て顔色を変えた。まるで自分たちが日本の傀儡《かいらい》国家であるといわんばかりの光景だったからだ。

これらの国では、占領地行政という名のもとに、日本による実質的な支配機構がつくられていた。表向きは独立を約束するといいながら、その実、日本がアメリカと戦うための供給地であったり、前線となったりしていたのである。こうした国々に皇道主義と称して、日本の天皇制をもちこんで反発を強めることにもなった。

当然のことながら、それぞれの国にとっては、日本にとくべつに義理があるわけではない。自国の国益にとって日本が役立つか否かが関心事である。すでにイタリアは連合国に敗北していて、ヨーロッパではドイツのみが戦っている。戦況もしだいに不利になっている。日本がアメリカとの間で必ずしも有利な状況ではないということは、どの国も知っている。大東亜会議に指導者を出席させるために、現地の日本軍は威圧をかけたり、独立を約束したりとあの手この手を使ってそれぞれの国を説いて、とにかく形だけはつくったというのが実際の姿であった。

大東亜会議が終わってまもなく、アメリカ、イギリス、中国はカイロ宣言を発表した。そこには日本に無条件降伏を勧める内容が盛られていた。日本の指導者は、それを戦況も知らないでいるためのたわ言と笑ったが、それはもはや空《から》元気にすぎなかった。

象徴的な出来事がある。この年十月に、兵員不足が顕著になり、とくに将校の数が不足しているということもあって、大学、専門学校の学生が徴兵されることになった。兵役を免れていた学生たちも戦場に赴かなければならなくなったのである。そうした学生たちの壮行会では、悲壮な状況がかもしだされるのだが、まるでそれを押し隠すかのように、常に聖戦勝利の空虚な励ましだけが必死に語られていたのである。


ここに至る状況に、そしてまた次に来る〝半狂乱〟化した状況へ導いたのは、誰に責任があったからなのか。

果してそれを、一概に「東條が悪い」、「軍部が悪い」で片づけてしまっていいかというと、私は、そうは言い切れないと思うのだ。

この戦争の〝突破口〟を開いた責任は、確かに海軍にあったと思う。「ミッドウェー海戦」での情報隠蔽などということもあった。しかし、かといって、昭和十八年に至る状況を、「海軍が悪い」だけですませてしまうことはできない。

さらに「昭和天皇に責任はない」とも言い切れないだろう。だが、「天皇の責任だ」といった瞬間に、それは〝逃げ〟になってしまう。その責任は緻密に多様化しながら考えるべきことだろう。

また反面、この時代ほど、日本国民が〝総力を結集した〟ことはなかったのも事実だ。

国民は、「ぜいたくは敵だ」「欲しがりません勝つまでは」とのスローガンの下、貧しさに耐え、装飾品の類は軍需物資のため全て供出した。そして女性たちは出征した兵士のために千人針を縫い、国民学校生までもがみな工場で働いた。日本国中がただひたすら一つの方向に、団結して向かっていったのである。

その結果が、並外れた、視野狭窄ともいえる〝集中力〟を生み出していたことを全否定はできないはず。しかし、結局、〝総力を結集した〟方向が、「お国のために死ぬこと」になってしまったのである。

その〝集中力〟とは何だったのか――。それを問うことが現在の課題であると私は思っている。

基礎知識6　軍　神

戦争中、武勲を立てて戦死した軍人を神に喩えて、こう呼んだ。

太平洋戦争での「軍神」の最初は、真珠湾攻撃時に特殊潜航艇でアメリカ軍基地の湾内に侵入し、戦死した九名だった。全長二四メートル、二人乗りの魚雷を抱いた特殊潜航艇五隻は、空母による航空隊の攻撃の一方で、水面下からの攻撃を企てていたのである。しかし、あえなく撃沈されてしまう。攻撃に参加した十人の内、一人、酒巻和男氏だけは攻撃の途上で坐礁して人事不省に陥り、アメリカ軍に捕えられ「捕虜第一号」となった。

戦死した九人について各新聞は「軍神」と書き立て、以後、「軍神」という言葉が世間に定着していった。

歌にも唄われた隼《はやぶさ》戦闘隊長の加藤建夫《たてお》、アッツ島玉砕で守備隊長だった山崎保代、神風《しんぷう》特攻隊である敷島隊隊長の関行男《ゆきお》以下、部下四名などが、その後、軍神とされている。軍神になると、二階級特進ともなった。

第四章 敗戦へ――「負け方」の研究

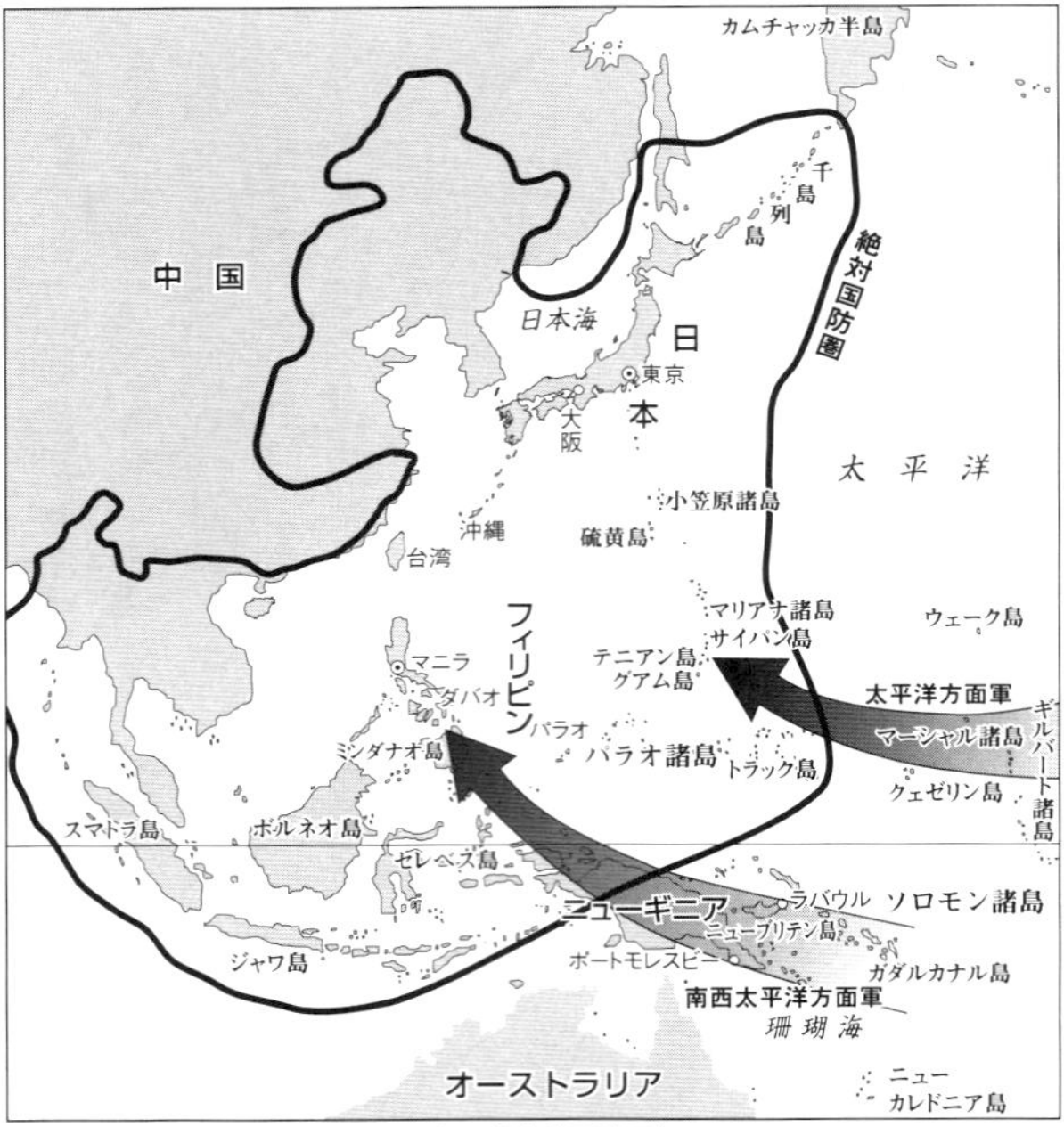

カムチャッカ半島
千島列島
絶対国防圏
中国
日本海
日本
東京
大阪
太平洋
小笠原諸島
沖縄
硫黄島
台湾
フィリピン
マリアナ諸島
サイパン島
ウェーク島
マニラ
テニアン島
グアム島
ダバオ
太平洋方面軍
パラオ
マーシャル諸島
ギルバート諸島
ミンダナオ島
パラオ諸島
トラック島
クェゼリン島
スマトラ島
ボルネオ島
セレベス島
ニューギニア
ラバウル
ソロモン諸島
ニューブリテン島
ポートモレスビー
ジャワ島
ガダルカナル島
南西太平洋方面軍
珊瑚海
オーストラリア
ニューカレドニア島

日本の「絶対国防圏」

1　もはやレールに乗って走るだけ

昭和十九年になると、アメリカ軍は「飛び石作戦」でマーシャル諸島へも侵攻してくることになる。日本軍には予想外であり、マーシャル諸島の防備は手薄だった。いよいよ「絶対国防圏」に近づいている。

しかし、そもそも「絶対国防圏」なんて、子供が「ここはオレの陣地だから、入ってくるな」と叫んでいるようなものであった。「絶対」といっても単なる願望でしかなかったのだ。

アジア、太平洋の地図を広げ、戦時中の日本軍、アメリカ軍の動きを書き込み、追っていくと、何やら地図が碁盤の目に見えてきてしまう。

囲碁に「布石」という言葉があるが、どうしてこの頃、日本は「布石」という考えを持てなかったのだろうか。アジア、太平洋を碁盤と考えて、対局しているにはあまりにもお粗末な打ち手だったのではないかと……。

悪乗りしたついでに言わせてもらうと、真珠湾攻撃は〝将棋〟的な戦いであった。奇襲攻撃をかけて中枢部を撃つ、それは喩えていうなら、中飛車で一気に玉将を詰ませにいくような戦法だった。

「戦術」はあっても「戦略」はない。これこそ太平洋戦争での日本の致命的な欠陥であった。

しかし、思うに「日露戦争」までの日本には、「戦略」がきちんとあった。引き際を知り、軍部だけ暴走するようなこともなく、政治も一体となって機能していた。国民から石を投げられてでも、講和を結びにいくような大局に立てる目を持つ指導者がいた。

しかし、「日露戦争」に勝利したことを過信した軍部には、夜郎自大《やろうじだい》な精神がカビのようにはびこっていたのである。先達たちのまっとうな判断を少しも参考にしていなかった。

そして、昭和十九年はもう後戻りはできない時点に達していた。

「軍令」「軍政」の一線を超えた東條

昭和十九年一月、アメリカ軍は、空母十九隻、戦艦十五隻、重巡洋艦十二隻の一大艦隊をもって、マーシャル諸島クェゼリンに侵攻、上陸する。

日本は、クェゼリン本島に秋山門造《もんぞう》海軍少将率いる約五二〇〇名、少し離れたルオット、ナムル両島に山田道行少将率いる三〇〇〇名が駐屯しており、まさにここを先途と必死の抵抗を試みた。

しかしアメリカ軍の猛烈なる空爆、艦砲射撃を受け、ほぼ壊滅状態に。わずかに塹壕に逃げ延びた兵たちも、上陸したアメリカ兵に火炎放射器で焼き殺された。兵の八割方が戦死している。

トラック島の海軍基地では、目の前で繰り広げられている惨状にも手が出せないでいた。増援しようにも、既に連合艦隊に空母はわずか数隻しか残されておらず、出撃させるわけにはいかなかったのだ。むざむざと目の前の自軍基地が敵の手に落とされるのを、手をこまねいて見ているしかなかった。

クェゼリンを落としたアメリカ軍は、今度はそこを前線基地に日本海軍最大の根拠地トラック島に爆撃を開始する（アメリカの「飛び石作戦」の効率のよさは、上陸するだけで日本が使っていた飛行場をそっくり利用できることだった。日本はアメリカ軍のために飛行場をつくっているようなものだった)。

結局、やむを得ず「大和」「武蔵」を始めとする連合艦隊はパラオに退くことになった。だが、やがてパラオが落ちるのも時間の問題であった。

東條は「絶対国防圏」が突破されつつあるとの報を受け、首相、陸相として、とうとう我慢の限界を超えた。

これまで大本営作戦部が「飛行機を造れ」「船を造れ」といってくる要請に、出来る限り応えてきたつもりである。工場を新設し、国民学校生まで勤労動員して国民に負担をかけて増産してきた。食うや食わずの生活のなかで、戦備だけに没頭した。それが、できあがっても、あっという間に飛行機も船も撃破されてしまう。

「いったいどうなっているのか。どんな作戦を立てているのか」、そう聞いても、大本営作戦部は、たとえ相手が東條であっても「教える必要はない」の一点張りであった。

これでは埒が明かぬと東條は考え、そして決断する。自分が「軍政」と「軍令」の両方を兼ねようと。首相兼陸相でもある東條は、「統帥権」を持つ参謀本部の総長になることをも画策していった。しかし、「統治権」と「統帥権」を兼ねることは明治憲法に反することを意味した。建軍以来、「軍政」と「軍令」を兼ねた軍人はいない。東條はあえて、そのことに挑戦しようとしたのである。

東條はまず、二つの大権を統《す》べるべき天皇のところに行き、直接上奏し伺った。天皇は、東條の願いを聞き、驚いてしまう。

「こういう戦時の時に、軍令と軍政が一体になり、大丈夫か」と天皇は東條に下問している。すると東條は「今の戦争指導者で欠けているのは、軍令であります。戦略、戦術がうまくいかないから、軍政の側に一方的に負担が掛かっています。この二つの有機的な統合を図りたいと考えております」と天皇を説得した。

天皇は何より明治憲法に忠実であった。明治憲法の本分の一つは、「統治権」と「統帥権」が分かれていることであった。東條がどんなに説得しようとも、天皇は決して納得することはなかった。

天皇から了承をもらえなかった東條は、ここであるトリックを弄することになる。

陸軍の中には、「三官衙《かんが》」と呼ばれる長官の地位がある。「軍令」「軍政」と組織上は分かれているわけであるが、「陸軍」というくくりで何か意思決定をする際には、陸軍大臣、参謀総長、それに教育総監の三長官で意見調整が行われた。それぞれ三長官の人事も三者で話し合って決められていた。

この時、東條は、他の二長官、参謀総長の杉山元《はじめ》、教育総監の山田乙三《おとぞう》を呼び、「自分はこれから参謀総長を兼ねることにした」と一方的に告げたのである。

これには参謀総長であった杉山が黙っていなかった。「そんなことは承服しかねる。だいいち憲政上、許されることではないではないか」と。すると東條はこう答えた。「これはもう、陛下の了解されていることである」。

杉山は「そんなことがあるはずがない」と、天皇のところに確認に行くことにした。それを知り、東條は今一度「これはもう陛下の了解を得ている」と念を押している。

東條は、自分の話を杉山が聞けば、天皇のところに確認に行くだろうということは予め読んでいた。そしてさらに東條は、杉山に問われた天皇がどう答えるかも、実は、読んでいたのである。

天皇は、精神的に「二・二六事件」の影響をずっと引き摺っていた。青年将校たちを「断固、討伐せよ」と命じてからは、一度も何かに対して断定的に否定する意思表示はしなくなっていた。

東條は、その天皇の心中を正確に察していた節があった。

案の定、杉山に問われた天皇は、直接には否定せずに「人事を変えなければならないことは確かだと思う」というような曖昧な答え方をした。

それを聞き、杉山は「そうか、東條のいったことは本当だったのか。東條はいつのまにあれほど陛下の信頼を得たのか。陛下が了解しているのであれば仕方ない」と判断し、身を退くことを決めてしまった。参謀本部の参謀たちは、杉山に軍令の側は納得していない旨を天皇に伝えるよう促した。しかし杉山は、もうそうした意見すら受けいれなかった。

東條がトリックを使ったという見方はこれまであまり記述されていないが、東條の意を受けて根回しに動いた部下（たとえば陸軍次官の富永恭次《きょうじ》や陸軍省軍務局長の佐藤賢了など）の戦後の回想録の不自然さや、丹念にこの間の東條側の動きを時間刻みで追っていくと、このトリックは明らかになる。

昭和十九年二月、東條は正式に参謀総長に就任した。軍内には反発も起こり、たとえば天皇の弟宮の秩父宮は強硬に反対した。

東條に合わせて、海相の嶋田繁太郎《しげたろう》も軍令部総長を兼ねることになった。

嶋田は、最初、軍令と軍政を兼ねることに弱気だったが、東條に「この危急の時に、そんなことを言っている場合ではないだろう」と叱咤され、しぶしぶ承諾している。嶋田は、東條に逆らえない男であった。海軍内部では密かに「東條の男妾」などと囁かれていた。

これで日本の意思決定最高機関は、憲政上ありえない、歪んだ構造になってしまった。「大本営政府連絡会議」があり、大本営と政府で政策を調整するのだが、実質的には、東條と嶋田の二人に決定権が集中してしまったのである。「東條幕府」とまでいわれるようになった。

無能指揮官が地獄を招いた「インパール作戦」

東條の権力は、こうして絶大なものになった。特に〝男妾〟の嶋田が「軍令部総長」を兼ねたことにより、海軍への影響力も肥大化した。東條の命令は天皇の命令に匹敵するぐらいの意味を持って捉えられるようになった。

「軍令」「軍政」を兼ねた東條は、まず作戦を有効に生かせるように、国力と見合った軍政の立て直しを図ることにした。参謀総長に就任して以降、三月、四月と、事実、飛行機の生産台数等が一時的にはね上がっている。国民の東條に対する信頼感は、まだあったということだろう。戦争の実態を知らない国民には、東條は日本が勝つためのシンボルともいえた。

そして東條は、軍令の方でも、もう一度、ゼロから戦略を練り直すことを考えた。思い切った再編制を試みようとしたのだ。所詮それは、なぜ戦っているのかを問うことなしに、ただほころびを縫うようなことでしかなかったのだが。

しかし、東條にそんなことを許さない事態が、アジアのビルマに近いインド領インパールで起きることとなったのである。

一月、ビルマ南に進駐する第十五軍司令官の牟田口廉也《むたぐちれんや》が大本営に執拗に要請していた「インパール作戦」の認可がなされていた。このときは陸相の東條が強力な支援者だった。

太平洋上では「飛び石作戦」により日本の制海権はしだいに狭められつつあったが、アジア内陸地ではまだ膠着状態が保たれていた。

また中国大陸でも、日本軍は蔣介石の率いる抗日部隊と相変わらず戦火を交えていた。その蔣介石へ、軍需物資を援助するアメリカ、イギリスの動きも命脈を保っていた。そもそも日本が太平洋戦争を始めた理由の一つは、この「援蔣ライン」を切断することが目的であった。

ビルマは、ちょうどその「援蔣ライン」のルート上にあった。

牟田口は、この「援蔣ライン」を断つため、ビルマの国境線の向こう、国境沿いの山脈を越えたインド領、インパールにあるイギリス軍の基地を攻撃することを考えたのである。

牟田口は、実は泥沼の日中戦争のきっかけとなった盧溝橋事件を起こした部隊の連隊長であった。日頃から、「支那事変はわしの第一発で始まった。だから大東亜戦争はわしがかたをつけなければならん」というのが牟田口の口癖だった。その独善に直接仕える参謀たちは不快感を隠さなかった。

作戦決行は三月。牟田口の率いる第十五軍の三個師団の参加が決まった。三師団は、それぞれ三つのコースに分かれ一〇〇キロほどの道のりを三週間で走破し、決められた期日までにインパール近くに結集して、攻撃を加えるとされた。

しかし、この計画はどう考えても無謀なものであった。

地図上で見れば、確かに一〇〇キロぐらいの距離である。この程度の距離なら二、三

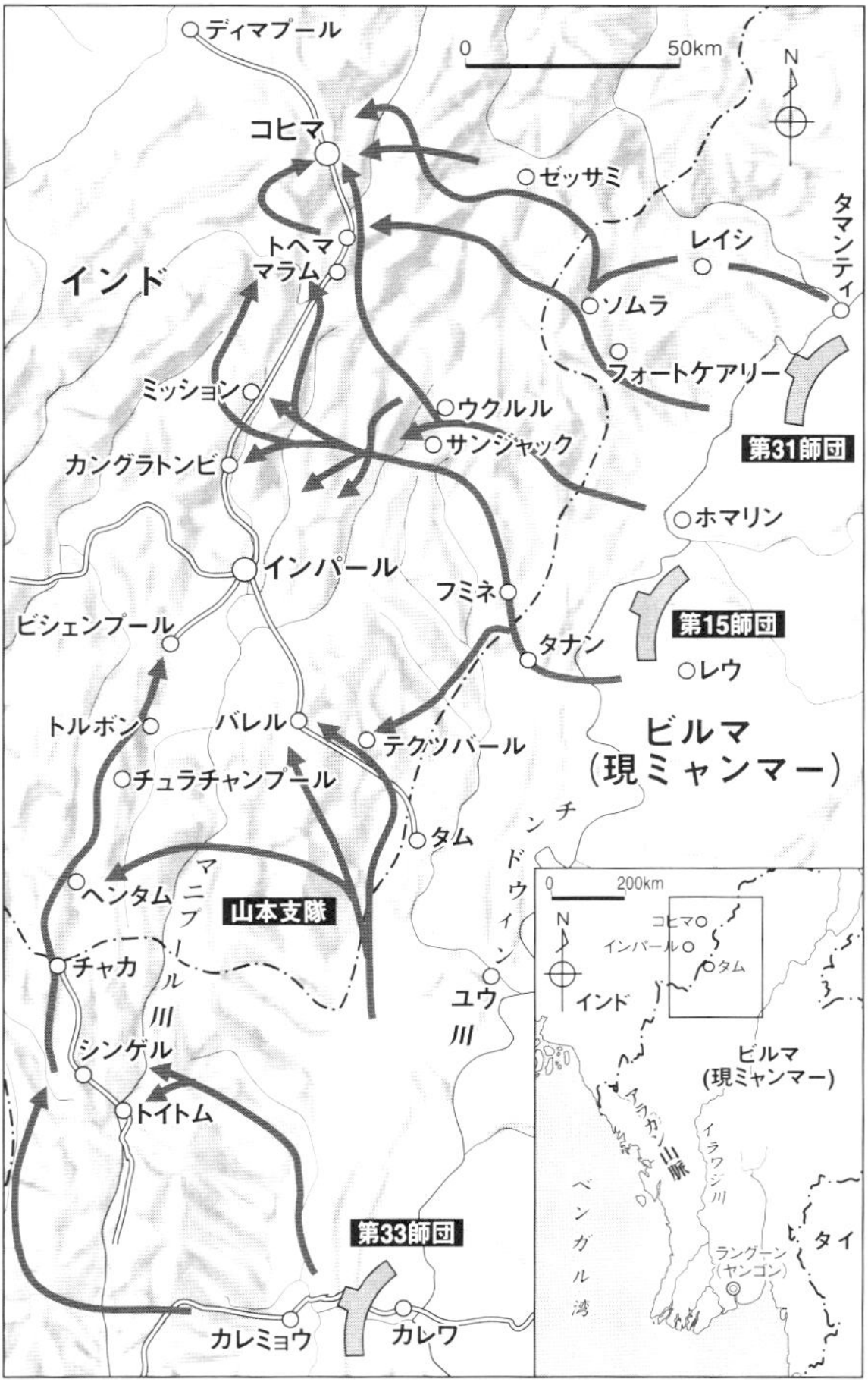

インパール作戦、三師団の動き

日で移動することもできないことではない。しかしインパールに至るまでには、三〇〇〇メートル級のアラカン山脈や川幅六〇〇メートル、水深三メートルもあるチンドウィンという大河が横たわり、その他、沼地、渓谷が待ち構えていた。しかもその間の補給は全く考えられておらず、「各自が食糧の米を背負い、後は牛や馬を連れて行きそれを運搬と食糧に充てるべし」という杜撰な計画であった。

本来、それだけのリスクをかけて行うべき意味のある作戦とはとうてい思えなかった。

作戦計画を聞いた段階で、参加すると決められた三つの師団長は猛反対する。三人の師団長とは、第三十一師団の佐藤幸徳《こうとく》、第十五師団の山内正文、第三十三師団の柳田元三《げんぞう》であった。短絡的な牟田口に対して、三人とも理性的な判断の下せる指導者たちだった。本来なら中央の要職にあって軍政、軍令を担うべき人材でもあった。

三人の師団長はラングーン（現ヤンゴン）で開かれた作戦会議に出席しないで、ろくに計画の打ち合わせもなされぬまま作戦は決行された。

作戦に反対ではあったが、それでも三つの師団はインパールの近くまで進撃して包囲の形をとるために進軍を開始した。山を越え、谷を越え、道なき道をひたすら進んだ。

河に差し掛かれば、荷物を頭に乗せて渡った。イギリス軍の戦闘機がやって来て、狙い撃ちもされた。運搬兼食糧として連れて行った馬や牛たちは、峻険な断崖から墜落し、また大河で流されて死んでしまう。

峻険な山を越え大河を渡りインパールへ進軍する

目的地にたどり着くまでに何人もの犠牲者が出たが、何とか予定の期日までに三師団ともインパール近くに集結した。そして、いざ戦闘が始まった。

戦闘は激烈を極めた。日本軍が攻め入り、一時はインパールを半ば孤立させるまでに至った。しかし、戦闘が二週間、三週間と続く内に、補給がないので、食糧も弾薬も尽きていく。次第に戦線はイギリス軍に押され始めていった。イギリス軍はもっぱら空から日本軍を攻撃したのである。

作戦展開中、牟田口はというと、前線から四〇〇キロも離れたメイミョウという場所から、ひたすら前進あるのみと命令を下していた。メイミョウは「ビルマの軽井沢」と言われた避暑地であった。

とうとう佐藤が痺れを切らした。「こんな無理な戦いで、これ以上、部下たちを殺させるわけにはいかない」と、勝手に撤退を始めてしまったのだ。そもそもが牟田口の立てた作戦計画の無謀さが原因だったが、佐藤は、しかしその場で抗命罪に問われてしまう。

一方、戦線の一角が崩れ、残された者たちの戦況はますます悪化した。弾薬や食糧の補給もなく、徐々にインパール近郊から撤退させられていくばかりであった。

しかしそんな苦戦を強いられていた中、牟田口に批判的だった他の二人の師団長、柳田、山内に続き、やがて佐藤も牟田口に解任されてしまう。

こうなるともう戦えるような状態ではなかった。食糧も水もない。挙句の果てにインドは雨季を迎えていた。部隊内ではマラリアや赤痢が蔓延した。

兵士たちはうめき声をあげながら次々と死んでいったという。ようやく撤退命令が下ったのは、七月五日であった。インパールからビルマへ向かう街道には、日本兵の死体が延々と並んだ。それは「白骨街道」と呼ばれた。

この戦いで五万近くの将兵が戦死した。一説によると七万とも言われていて、その数は今でも正確にわからない。それほど犠牲者がでたのだ。

「インパール作戦」大敗後、作戦失敗を問われた牟田口は、こう弁明した。

「この作戦は〝援蔣ライン〟を断ち切る重要な戦闘だった。この失敗はひとえに、師団の連中がだらしないせいである。戦闘意欲がなく、私に逆らって、敵前逃亡したのだ」

部下に一切の責任を押し付けたのである。三人の師団長たちはそれぞれ罷免、更迭された。しかし、牟田口は責任を問われることはなく参謀本部付という名目で東京に戻っているのだから、開いた口がふさがらない。

私はインパール作戦で辛うじて生きのこった兵士たちに取材を試みたことがある（昭和六十三年のこと）。彼らの大半は数珠をにぎりしめて私の取材に応じた。そして私がひとたび牟田口の名を口にするや、身体をふるわせ、「あんな軍人が畳の上で死んだことは許されない」と悪しざまに罵ることでも共通していた。兵士たちにとっては、自らの栄誉のために自分たちを利用した存在だというのである。

牟田口が作戦失敗の責任を問われなかった理由の一つは、東條と親しい関係にあったからである。今や東條にとって、自分のさじ加減一つで軍内の機構も動かすことができたといってよかった。

しかし、それが東條のケチの付き始めとなった。

「あ号作戦」、サイパンの玉砕、東條の転落

連合艦隊の拠点であったトラック島を落とされ、アメリカ軍の次なる目標がマリアナ諸島であることは、誰が見ても一目瞭然であった。特にマリアナ諸島のサイパン島には、日本軍の飛行場基地が置かれていた。

「インパール作戦」失敗を受け、後がない東條は「サイパン島死守」を強く打ち出す。二月、サイパンに敵を近づかせないため岩壁沿いにコンクリートで防御壁を作るよう、東條は命令を下している。通称「東條ライン」と呼ばれた。これで絶対国防圏は死守できるはずだった。

しかし、サイパンに詰めていた守備隊にとっては、いい迷惑であった。だいいちコン

クリートの壁を作ろうにも材料がない。仕方なく、岩壁沿いに穴を掘るだけで、それを「東條ライン」と称した。東京の大本営には「頑丈な守りの〝ライン〟が出来上がった」と報告する、そんな有様であった。

六月、マリアナ諸島攻防戦の前哨戦ともいえる戦闘の火蓋が、マリアナ沖で切って落とされている。日本側はこれを「あ号作戦」と名付けた。

マリアナ沖に遊弋《ゆうよく》するアメリカ軍の一大艦隊に、空母「大鳳《たいほう》」「翔鶴《しょうかく》」「飛鷹《ひよう》」など九隻、戦闘機、爆撃機五〇〇機を擁した日本の第一機動艦隊が攻撃を仕掛けていったのである。その時の連合艦隊司令部は、日本海海戦での英雄、東郷平八郎を真似て「皇国の興廃、この一戦にあり」と檄《げき》を飛ばした。

しかし、勇ましいかけ声とは裏腹に、決着はあっという間についてしまった。上空で待ち伏せしていたアメリカ軍の戦闘機により日本機は次々に撃墜されていく。逃げ惑う日本機をアメリカ側は「マリアナの七面鳥撃ち」と嘲った。出動した空母のうち三隻は潜水艦の攻撃を受け、撃沈。四〇〇機以上の戦闘機、爆撃機を失った。これで日本の空母はほぼ壊滅してしまうこととなる。連合艦隊にとって、致命的な打撃であった。一方のアメリカ艦隊は、戦艦に一発命中、至近弾一発、舷側激突一機という軽傷であった。

もっとも当時、国内では、このマリアナ沖海戦は事実通りには発表されていない。「大本営発表」の典型的なケースでもあった。

「我が連合艦隊の一部は六月十九日『マリアナ』諸島西方海面に於いて三群よりなる敵機動部隊を捕捉、先制攻撃を行い、爾後戦闘は翌二十日に及びその間敵航空母艦五隻、戦艦一隻以上を撃沈破、敵機一〇〇機以上を撃墜せるも決定的打撃を与うるに至らず」と。

日本の状況などにお構いなく、アメリカ軍はこの戦いに勢いを得て、サイパンに進攻する。六月半ばには上陸し（いうまでもなく「東條ライン」など何の効果もなく）、七月には完全に制圧下においた。

サイパンにいた日本側守備隊、約四万二〇〇〇名はもとより、この島に住む民間人二万名は玉砕してしまう。

多くが島の北端に追い詰められ、マッピ岬の岸壁やマッピ山の断崖から身をおどらせた。現在では日本人の観光地となったサイパン島で、今でもそこは「バンザイ・クリフ」「スーサイド・クリフ」と呼ばれている。

サイパンがアメリカ軍の手に落ちたことは大きかった。これで、B－29などによる日本本土への往復ができるようになり、爆撃も可能となったのである。

東條が「軍令」と「軍政」を兼ねたからといって何ら事態が変わるわけではなかった。むしろ東條の参謀総長就任後は、作戦参謀による作戦はより「玉砕型」になっていった。南方の〝要所〟で孤立した部隊は見放され、戦場の兵たちによる血のにじむような奮戦は、その場限りで終ってしまう。アメリカ軍の日本本土攻撃への準備を遅らせようとするだけの戦いであった。ここにきてやっと重臣たちから東條に対する批難の声が挙がり始めた。

そして「サイパン陥落」が決定的な引金となり、岡田啓介を中心に若槻礼次郎、近衛文麿ら重臣（首相経験者をさす）によって、〝東條降ろし〟の具体的な動きが出始めてきた。東條周辺の軍人は、こうした重臣たちに暴力的な威圧を加えている。

東條はあくまで今の地位に汲々と拘った。天皇の側近である内大臣の木戸幸一に会い、「自分はまだ、何としても続ける意志がある。新しい戦端を開く策もある」と切々と訴えた。

しかし木戸は、天皇の意思として東條にこう告げる。「陛下は内閣を替えろ、とのお考えである。何人かの閣僚を替える必要があると。また新しい内閣の中には必ず米内を入れろとも仰せられている」。

〝いったい天皇は自分への不信感を以て内閣を替えろと言っているのだろうか、それとも字義通り、単に内閣を替えるだけでいいのだろうか……〟、東條は迷った。迷った末、直接、天皇のところに伺いをたてることにした。

すると天皇は、「閣僚を替えるべきである」と、木戸が言っていた通りのことを繰り返した。そしてこうも続けた。「軍令と軍政というのは、やはりきちんと分けておく方がいいのじゃないか」。

決して東條に向かって「辞めろ」とは言わない。しかし、これは断定的な言葉を避ける天皇なりの「辞めろ」との意思表示だ、さすがの東條もこのことがわかった。東條という男は、とにかく天皇に対して〝絶対忠誠〟であった。不本意ではあったが、辞意の腹を固める。

七月十八日、東條内閣は総辞職となった。

実は、東條内閣の総辞職が決まった後、陸軍省内ではちょっとした騒ぎが起こっている。軍務局や参謀本部の幕僚の何人かが、東條を旗頭に、「聖戦必勝派」で固めた政府を作ろうと、クーデター計画を東條に持ちかけたのであった。しかし、天皇から「ノー」

小磯・米内連立内閣（前列左より杉山、小磯、米内）

といわれた東條は、決してそうした企みに乗ることはなかった。

軍令部の誤報が招いた〝決戦〟の崩壊

東條内閣総辞職を受けて、重臣会議が開かれた。この会議には、〝元首相〟として東條自身も出席している。

その会議で、朝鮮総督をしていた小《こ》磯《いそ》国昭《くにあき》という陸軍大将が首相として選ばれることになった。同時に、天皇が固執した米内も海軍大臣として入閣する。米内は海相ではあったが、実質上、小磯と「二人首班体制」内閣にすることも決められた。

なぜ天皇は、この時、米内に固執したのか。一つには、かつて「三国同盟」に反対した米内は「終戦」というものを意識しているのではないか、と期待していたからだといわれている。また、温厚な性格である米内なら、戦況悪化のため、逆に勇み立っている今の海軍をうまく収めてくれるのではと、天皇が望みをかけていたからだともされている。

他の人選では、前参謀総長の杉山元が陸相に、参謀総長に梅津美治郎、軍令部総長に及川古志郎、外相に重光葵《まもる》などが就任することとなった。

首相の座に坐った小磯は陸軍出身であった。にもかかわらず首相の下には陸軍からの情報がほとんど届かなかった。小磯は軍内に足場をもっていなかったのである。未だ陸軍内には東條一派が幅を利かせていたからであった。何かといえば、小磯の足を引っ張ろうとする動きさえ見えた。これでは内閣がうまく機能するわけがなかった。

また、東條の退任によって、それまで押さえつけられていた海軍が、その鬱憤を吹き出していく。陸軍との関係はさらに硬直化し、その反目は決定的となった。両軍のバランス機構はまったく収拾がつかなくなるほど混乱していった。そして、それが具体的な被害を生むことになる。

小磯内閣誕生の二日後、大本営は「捷号《しょうごう》作戦（〝捷〟とは勝つという意味）」という新しい戦略方針を決めた。

これは「防衛線を本土から南西諸島、台湾、フィリピン以南を結ぶ線とす」としたものである。

具体的にいえば、アメリカ軍の進攻コースを四つに分けて考え、それぞれで一大決戦に持ち込むという作戦計画であった。四つのコースとは、フィリピン、台湾・南西諸島、本土、北海道・千島・樺太に至るもの。それぞれ「第一号」、「第二号」、「第三号」、「第四号」と命名された。

一方で、そんな作戦をあざ笑うかのように、空母十七隻を擁するアメリカ海軍部隊から発進された航空部隊が、十月十日には沖縄の那覇市を、十二日には台湾の新竹基地を空襲する。本土が射程距離に入ったのだ。

これに対して、九州南部鹿屋《かのや》基地や台湾、それにフィリピンの基地から日本の航空部隊が反撃に出た。四日間にわたり、台湾沖で航空戦が繰り広げられることとなる。日本の陸海軍機は延べ約六五〇機が出動している。「台湾沖航空戦」であった。

そして、大本営はこの戦果を「相手空母十一隻を撃沈、八隻を撃破し、多数の戦艦、巡洋艦を撃沈、撃破」と発表した。この数字は、軍令部の報告をそのまま発表したものであった。

だが実際は、アメリカの空母は一隻も沈んでいなかったのだ。せいぜいが巡洋艦二隻にダメージを与えた程度だったのである。

偽りの戦果発表は、全て前線から還ってきた搭乗員の自己申告を鵜呑みにし、軍令部が数を積み上げていったからであった。

爆撃したにせよ、敵艦に当らず海面で火柱が上がっただけで、パイロットは「敵艦轟《ごう》沈《ちん》」と、都合よく判断してしまっていたのである。

また、海軍も陸軍と意地の張り合いで、あまりにもよすぎる戦果を、薄々疑問に思いながらも「大本営発表」としてしまっていた。国民には久方ぶりの大戦果と報告された。

ちなみに、アメリカ軍は、戦果の正確な把握のために、必ず戦闘隊とは別の「確認部隊」がわざわざ前線にまでついていくことになっている。そこで、時には写真や映像に撮り、記録を残して、事実に近い戦果を司令部に報告する。そういうシステムが確立されていた。まさに日本とは対照的であった。

この偽りの「台湾沖航空戦」について、ただ一人だけ、軍令部の発表した数字に疑問を持つ者がいた。先述した参謀本部・情報参謀の堀栄三である。

堀は、たまたまフィリピンへの出張途次に、九州の新田原基地から鹿屋の海軍飛行場に寄ってみた。そこで、この「台湾沖航空戦」の実際を目にすることとなった。

基地では、次々と海軍の攻撃機が還ってきて、パイロットたちが司令部に報告をしていた。その敵艦撃破の数を、司令部では自己申告の報告がなされるまま積み上げてしまっていた。

この光景を見て、堀は疑問に思う。そこで実際に、航空戦に出撃したパイロットに直接事情聴取をしてみた。すると、どうもみな言っていることが調子よすぎる。誰もが波しぶきを見た程度で敵に損害を与えたといっているのだ。これは間違いなく誤報であるとの確信を得たのである。

堀は、早速、東京の大本営作戦部に報告するのだが、この時も、陸軍のある作戦参謀がにぎりつぶしたともいう。やはり一情報将校の言うことは聞き入れてもらえなかった。

そんな事実があるとは夢にも思わずに、「大本営発表」を聞いた国民は、久々の大勝利に沸きあがっていた。「この戦果は、真珠湾攻撃以来の快挙だ」と、各地では祝勝の提灯行列が出た。天皇からは「嘉賞《かしょう》の勅語」が発せられている。

だが、この誤報がたいへんな事態を招いてしまうことになるのであった。

十月二十日、マッカーサーの率いるアメリカ軍がフィリピン・レイテ島に上陸。マッ

レイテ島に上陸するマッカーサー（左から二人目）

カーサーにしてみれば、三年前に追われるように去ったフィリピンへの帰還であった。

日本軍は、アメリカ軍レイテ島上陸の報を聞き、早速、大本営で決められた「捷号作戦」に基づいて、「捷一号作戦」が発せられた。

〝決戦〟と称された作戦の決行だったが、大本営内部にはそれほどの危機感はなかった。なぜなら「台湾沖航空戦」でアメリカ太平洋艦隊は壊滅状態にあるはずだから、南方軍総司令官の寺内寿一《ひさいち》に至っては、「驕敵《きょうてき》撃滅の神機到来せり」と語っていたほどであった。

フィリピン防衛の司令官である山下奉文《ともゆき》は、レイテ島でアメリカ軍を迎え撃つのは、最初、第十六師団の一個師団二万名で充分事足りるだろうと考えていた。だが、一向に敵の勢いは収まらず、それどころか、一個師団は瞬く間に全滅してしまった。

慌ててルソン島から増援部隊を派遣させた。しかし、今度は派遣隊を運ぶ途上の輸送部隊が次々と撃沈されてしまう。「台湾沖航空戦」で沈んだはずの空母十数隻が無傷のまま、待ち構えていたのだ。辛うじて上陸できた部隊も、アメリカ軍陸上部隊にわけもなく捻り潰されてしまった。

また司令官の山下は、アメリカ軍が日本の基地のあるルソン島へ進攻するのは島北部の経路からだろうと読んでいた。空母などの艦隊で進攻するなら、日本軍の基地に近い、大きな湾のリンガエン湾から入ってくるはずだが、もはや空母もないはずだからリンガエン湾から来ることはないと結論づけた。日本の守備隊をほとんど北部に配していた。

ところが大艦隊を擁したアメリカ軍は、堂々とリンガエン湾から進攻してきたのである。日本の守備隊は背後を衝かれた形となった。その結果、守備隊の多くが、山中に追い込まれてしまう。それでも日本軍は必死に抵抗を続け、戦線はマニラ市街にまで持ち込まれた。市街戦はマニラの市民も巻き込み約二十日間続けられた末、アメリカ軍の手に落ちた。

「捷一号作戦」では、海軍も大きな出動をしていた。アメリカ軍がレイテ島に上陸した

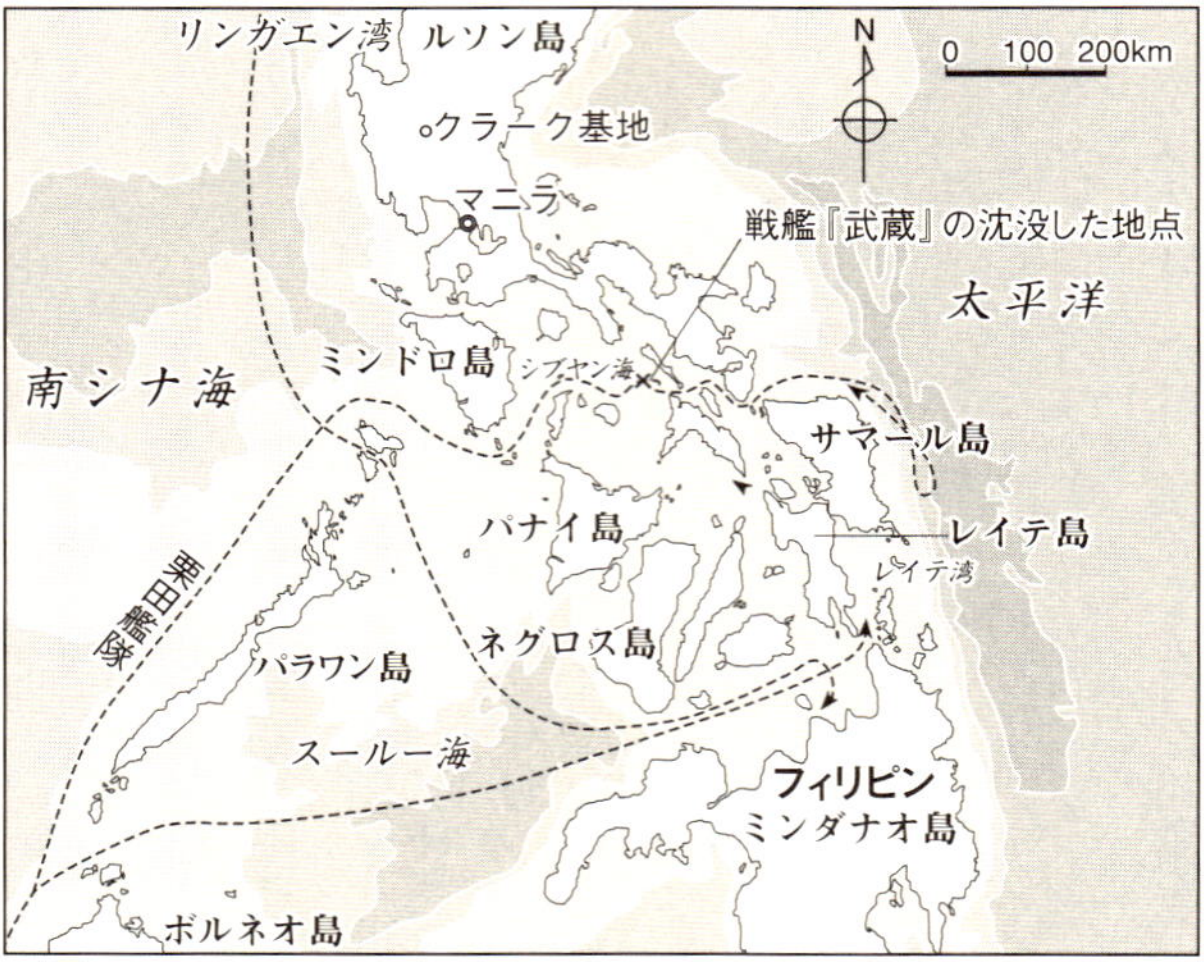

「捷一号作戦」の舞台となったフィリピン

二日後、隊長の栗田健男《たけお》が率いる一大遊撃隊が編成されている。戦艦「大和」「武蔵」「長門」を始めとする軍艦三十九隻、残り少ない連合艦隊を総動員しての編成であった。

昭和十六年十二月の開戦直後に完成した「大和」、翌年に完成した「武蔵」の二艦は、七万二〇〇〇トン、四六センチ主砲を備えた、世界最大の戦艦であった。このレイテ沖での戦いが二艦の、実質上、初となる実戦である。しかし「武蔵」は、出動してわずか数日後には、アメリカの航空部隊の攻撃を受けて撃沈されてしまう。

「大和」「武蔵」とも「大艦巨砲」主

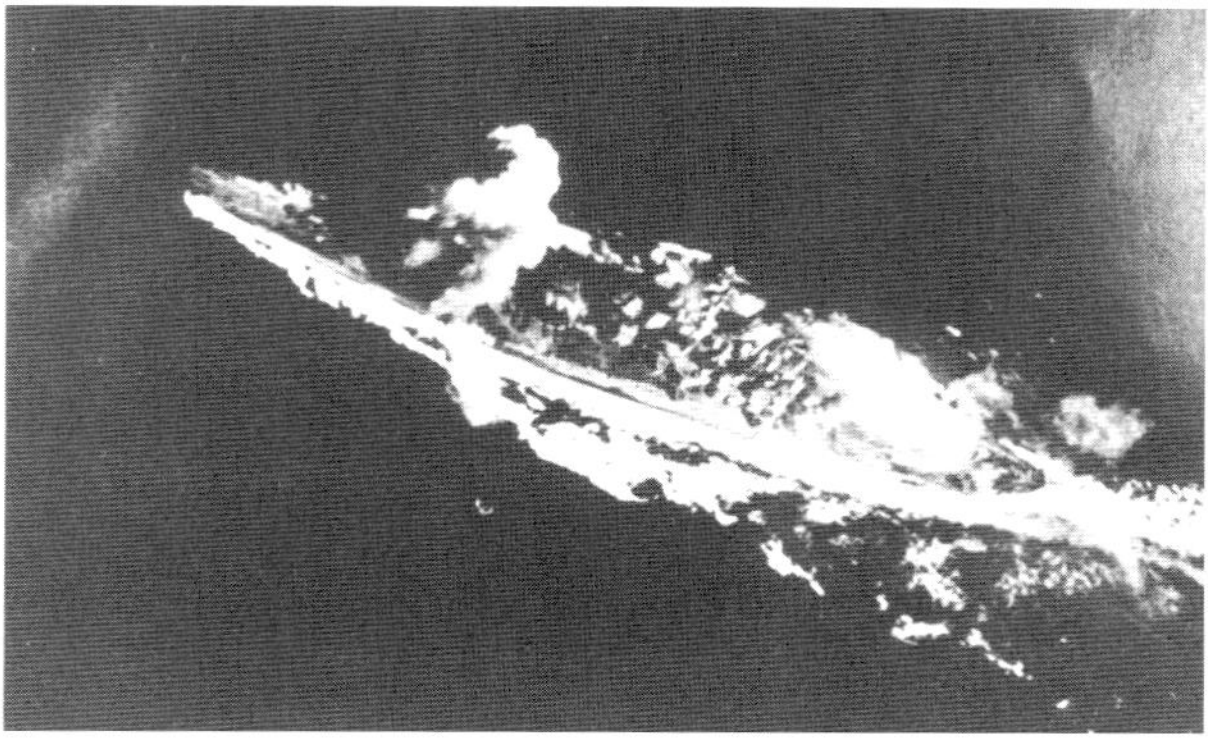

シブヤン海に沈没した戦艦『武蔵』

義の下、膨大な予算と人員で建艦された超ド級大型戦艦であったが、もはや航空戦の時代であり、無用の長物と化していたのである。

出撃時の半分ほどに艦を失いながらも、それでも何とか栗田率いる艦隊はレイテ湾の八〇キロ沖地点まで到達してきた。レイテ島沖は島が多数点在し、狭い海峡を航行することになる。

と、その時であった。突然、栗田隊長は、「突入中止。反転、北へ変針」と命令したのだ。

誰もが一様に驚き、呆気にとられてしまった。「敵を目の前にして反転などできぬ」と逆らう者もあったが、しかし隊長の命令は絶対である。

結局、栗田艦隊は、誰も理由のわからぬまま、突入寸前で反転することとなった。栗田がなぜ反転したのか、今でも真相は謎のままである。

連合艦隊の満を持した水上艦隊であったが、こちらもアメリカ軍艦隊の前に大敗を喫してしまったといっていいだろう。

〝決戦〟と謳われた「捷一号作戦」は、見るも無残な敗退に終った。最終的な戦死者は、およそ一〇万名を数えた。「台湾沖航空戦」の誤まった情報が、このような結果をもたらしたのは間違いなかった。

もう一つ、「捷一号作戦」では触れておかなければならない悲劇がある。飛行機ごと敵艦にぶつかっていく戦法「神風《しんぷう》特別攻撃隊」が編成されたのもこの作戦が契機となった。「神風特攻隊」戦法を考え出したのは、作戦決行前にルソン島第一航空艦隊に司令長官として赴任してきた大西瀧治《たきじ》郎《ろう》であった。

神風特攻隊の公式の戦果は、関行男大尉以下の敷島隊五機である。二十五日、零戦に爆弾を積んで空母三隻に体当たりし、「セント・ロー」号を沈没させた。

この後、特攻隊は次々と編成され出撃していくことになる。昭和二十年一月に航空部隊がフィリピンを離れるまでに約八〇〇機が「特攻隊」として出撃していった。人間が戦備と化すあまりにもおぞましい作戦でもあった。

硫黄島、沖縄の玉砕

こうして時は、いよいよ昭和二十年へと入っていく。

二月十九日には、アメリカ軍は硫黄島にまで達している。

硫黄島には、栗林忠道《ただみち》が率いる約二万一〇〇〇名の守備隊が詰めていた。ここでアメリカ軍の攻撃をくいとめようとの作戦であった。

栗林は独自の戦法でアメリカ軍に対している。硫黄島は岩盤が硬いところが多く、それを利用して地下に縦横無尽に穴を掘って壕を作ったのだ。あえてアメリカ兵を上陸させて待ち伏せし、壕から攻撃を加える作戦を採った。

栗林は、十九年六月、硫黄島に赴任前に、東條から「どうかアッツ島のように戦ってくれ」といわれていた。硫黄島はいわば本土に到達する前の最後の砦であった。しかし、もはや増援が送れるような兵は残っていない。

東條のこの言葉は、アメリカ軍が本土に達するのを一日でも遅らせる〝防波堤〟になれ、との意味であった。玉砕せよとの命令でもある。

守備隊は、東條の言葉通り徹底抗戦した。しぶとく抵抗する日本兵に手を焼いたアメリカ兵は、壕に火炎放射を浴びせた。悲惨な戦いだった。

すでに大本営陸軍部の作戦部では本土決戦を考え、そのための計画も内々に進めていた。アメリカ軍を本土で迎えうって徹底抗戦を行う、との案にむかって準備がはじまったのである。硫黄島の守備隊に最後の一兵まで戦えというのは、その準備を進めるために犠牲になることだったのだ。

およそ一月後の三月十七日、硫黄島守備隊の司令部は大本営にあて決別の打電をし、二十四日、約四〇〇名が「バンザイ」を叫びながら突撃を決行。それを最後に組織的抵抗は終った。予定どおりの「硫黄島玉砕」である。

日本の戦死者は約二万人。アメリカ軍も、戦死者六八〇〇、戦傷者は二万二〇〇〇に上った。いかに守備隊が激しく抵抗したかが窺えよう。

サイパン、それに硫黄島と押さえられ、いよいよ日本本土への爆撃が激しさを増していく。制空権はアメリカ軍の手中にあり、いつでもどこでも自由に日本の都市を爆撃できるようになった。三月十日の東京大空襲、十三日の大阪大空襲を始めとして相次いで全国の主要都市、工業地帯に爆弾が落とされていった。迎え撃つ日本の高射砲など、ほとんど歯が立たなかった。それだけ圧倒的な戦備差があったのである。アメリカは自由自在に爆弾を落とす一方で宣伝ビラも撒き、確実に日本人の戦意を挫いていった。

この頃、日本では本格的に「本土決戦」の具体案も考えられるようになった。兵役の年齢も下げられ、そして四十歳以上でも召集される方向にと進み、非戦闘員の婦女子や老人も竹槍訓練を行って本土決戦に備えるというのであった。国民のすべてが戦いに参加する「一億総特攻」が呼号されもした。今こそ日本存亡の危機だと聞かされていた。特に、陸軍では本土決戦により活路を開くと強く説いていた。

四月一日には、アメリカ軍は沖縄本島へ上陸を開始している。

沖縄には、牛島満を司令官とする約九万六〇〇〇名の守備隊がいた。それに、守備隊の他にも現地召集として二万五〇〇〇名の沖縄県民が駆り出されていた。その中には「ひめゆり部隊」といわれた女学生も交じっていた。

ここでも力の差は、歴然としていた。アメリカ軍は到る地域で日本軍を追いつめ、「沖縄戦」の犠牲者は、約二三万五〇〇〇名にも及んだ。

「沖縄戦」も硫黄島と同じく、アメリカ軍の本土への侵攻を少しでも遅らせようとする〝防波堤〟と考えられていた。沖縄が落ちれば、後は本土しかない。陸海軍を挙げての戦力が投入された。

多くの特攻作戦も取られている。四月からは連日のように九州の基地から特攻隊がと

海軍の特攻機『桜花』（戦後の展示会にて）

びたった。

出陣学徒は離陸し、体当たりするだけの攻撃を訓練して突っ込んでいった。その特攻形式も、戦闘機で体当たりするだけでなく、様々なものが計画されていた。

海軍の「回天《かいてん》」。それは一人乗り用の魚雷を操縦して敵艦に突っ込むというものであった。あるいは、やはり海軍の「桜花《おうか》」なるものもある。一人で爆薬を詰めたロケット推進機に乗り、飛行機の胴体につけて運ばれ、途中で切り離されて突っ込んでいくといったものだった。

また、連合艦隊でも、残っている軍艦を総動員し、「特攻作戦」を敢行することにした。戦艦「大和」を中心に護衛艦九隻の艦隊が、みな片道分の燃料だけを積んで沖縄へ向かっている。

だが艦隊は、沖縄に着く前の、九州・坊《ぼう》の岬沖でアメリカの空母に遭遇。空母から発進したおよそ三四〇機の航空隊の攻撃にさらされ、「大和」共々ほとんどが撃沈となった。約三七〇〇名が海の藻屑と消えてしまった。戦う以前に沈んでいったのだ。

戦備もなく食糧もなく、そして日々生命の危機にさらされるB－29の爆撃、国民の間には厭戦、嫌戦の気分がみなぎった。デマがあっというまに広がり、日本は特殊な兵器をつくっているからそれができれば勝つのだとか、あるいは神風が吹くとか、まるで根拠のない話のみが国民に聖戦完遂の気分をあおりたてていた。

子供向けの戦意昂揚の歌として、〝いざ来いニミッツ、マッカーサー、出てくりゃ地獄へ逆落とし〟などと品のない歌詞まで披露される時代に入ったのである。

2　そして天皇が動いた

鈴木内閣の〝奇妙な二面策〟

さて、もはや待ったなしの状況下、小磯ではとても首相が務まるものではなかった。

内閣はもう意思統一さえできず、小磯は閣僚からもうとんじられた。

小磯自身の辞意を受け、四月五日には、小磯内閣の総辞職が決定する。またも重臣会議にかけられた。

東條は会議の冒頭から、盛んに「聖戦の完遂、本土決戦」の必要性をいい、「陸軍の後押しのある者を首相に就けるべきだ」と力説した。

そして、しばらくのやりとりのあと、内大臣の木戸幸一が開口一番、「鈴木貫太郎では、どうだろうか」と持ちかけた。

実は、この鈴木貫太郎首相の構想は天皇の発案であった。木戸は、その天皇の意を受け、発言したのである。

海軍軍人だった鈴木は、すでにこの時、七十八歳。かつては連合艦隊司令長官も務めた人物であった。予備役後は、天皇の側近として仕え、昭和初年代には侍従長も経験していた。その侍従長時代には「二・二六事件」に遭い、〝君側の奸〟と青年将校に狙われ、拳銃を撃ちこまれている。しかし何とか奇跡的に命を取り留めたという経歴も持ち合わせていた。高齢ではあったが、その分、この戦争に深く関わることなく、いわば〝軍歴が汚れていない〟身であった。

東條は木戸の発言に怒り、反対するが、結局、会議は他に適任者が浮かばず、鈴木首班指名の線で決定した。

だが、首相就任を持ちかけられた鈴木は、最初は高齢を理由に首班指名を固辞した。

首相となった鈴木貫太郎（昭和二十年時）

しかし、鈴木が首相になることは、実は天皇が望んでいたことを知らされると、渋々ながら受け入れることとなった。

天皇は、既にこの時点で、戦争に決着をつけることに意を決していたのだ。そのためには、もっとも信頼する鈴木に首相を託する以外にないと考えていたのである。鈴木の妻たか（旧姓、足立）は、天皇の五歳からの養育掛りでもあり、鈴木が慈父のような存在であった。天皇自ら鈴木に「頼むから、どうかまげて承知してもらいたい」と説得までしていた。

さらに鈴木には、天皇の意である「戦争終結を模索すること」も伝えられたのであった。

四月七日、鈴木貫太郎内閣が誕生。海相には米内がそのまま留任。外相には開戦時もその職を務めた東郷茂徳が就いた。そして陸相には阿南惟幾《あなみこれちか》を就けている。

阿南も鈴木に似て、統制派、皇道派といった派閥には一切属さず、一軍人として全うしていた、〝軍歴の汚れていない〟人物のひとりであった。また鈴木とは、鈴木が侍従長を務めていた時の侍従武官という間柄でもある。陸軍は、鈴木が予備役であるのを理由にして首相就任に反対し、阿南の起用を拒否しようとしたが、鈴木に「聖戦遂行」の約束を取り付けることで、阿南の陸相就任を認めたのであった。

以後、鈴木は、表向きは陸軍の「本土決戦」を受け入れている素振りを見せながら、「和平の模索」も進めていくという、〝奇妙な二面策〟で舵取りを強いられることになる。

それでも鈴木は、早速、いくつかの和平工作の可能性を探ることにした。

ひそかに元首相の広田弘毅がソ連のマリク大使と接触し、和平工作の打診を進めている。他にも、スイスでは海軍中佐の藤村義朗がアメリカの機関と接触を試みていた。あるいはバチカンを通じての工作、駐日スウェーデン公使だったバッゲを通じての工作なども模索していた。

しかし、やはり一番脈があると期待をかけていたのが、ソ連を通じた和平工作であった。昭和十六年四月に結んだ「日ソ中立条約」以来、表面上は日本とソ連は戦時下でも外交官を置き合うなど、外交関係を保っていた。鈴木は、それに賭けたのである。

やがて、この〝奇妙な二面策〟が形となって表れる。それは六月八日の「御前会議」の決議であった。

御前会議での決議は、その前に開かれた「最高戦争指導会議」によって決められたものであった。

「最高戦争指導会議」とは、「大本営政府連絡会議」が名を変えたものである。ただ出席者が、首相、外相、陸相、海相、参謀総長、軍令部総長の六人に絞られることになっていた。十九年七月、小磯内閣が誕生した時にこの制度に変わっていた。

〝二面策〟のまず一面は、「聖戦継続、本土徹底抗戦」が固められたことであった。十五歳以上六十歳までの男子、十七歳以上四十歳までの女子の全てに義勇兵役を課した。

そしてそのうえで「最終的にアメリカ兵が本土に上陸してきた場合は、竹槍で刺し違える」ことが改めて確認された。まさに「一億玉砕」の発想であった。

だが、もう一面では、「ソ連を仲介とする和平工作を進める」とも決められたのである。裏工作を、正式な国策として表沙汰にしたのだ。

矛盾を呈しながら、会議でこの二策が決められたのは、いわば妥協の産物といえた。参謀総長、軍令部総長、陸相などは、一様に「本土決戦」を主張した。その会議の中で、彼らの主張を認めつつ、木戸が天皇の言を利用し、巧みに「和平交渉」も認めさせたのであった。

「御前会議」で二策の方針が決まった十五日後の二十三日には、沖縄はアメリカ軍に完全に制圧されている。本土の一角はアメリカの支配下に入ったのである。

「例の赤ん坊が生まれた」――

ヨーロッパでは、既に彼我の勝敗は決していた。

四月二十八日、パルチザンに捕まったムッソリーニは銃殺処刑、逆さ吊りにされ晒された。四月三十日、ドイツでは、ソ連がベルリン市内にまで侵攻。その最中、ヒトラーは官邸の地下壕で拳銃自殺をしている。五月八日に、ドイツは連合国に対して無条件降伏を決めた。この段階で連合国を相手に戦争をしている国は、もはや日本だけとなった。日本は世界の国々を敵として戦うことになったのだ。

首相の鈴木貫太郎は、六月八日の「御前会議」で明らかにした「ソ連を仲介とした和平工作」の実現に向けて現実に動き出す。

特使として元首相の近衛を遣わし、和平に当らせることにした。七月十三日、そのことをソ連外相のモロトフに伝えている。

しかし近衛特使派遣の報を受けて、モロトフは難色を示した。「近衛か誰か知らないが、誰が来てもらっても困る。日本の和平条件をはっきりと示してもらわなければ話にならない」との回答を返してきた。日本側も「とにかく話し合いの場につかせてくれ」と粘ったが、「それでは話し合いの余地がない。条件を具体的に示せ」と突っぱねてくるばかり。埒があかないでいた。

実は、ソ連は、この時、最初から日本の特使を受け入れるつもりなどなかったのである。七月十七日から、ドイツのポツダムでアメリカのトルーマン、イギリスのチャーチル、ソ連のスターリンによる三首脳会談が行われることになっていたのだ。

そこでは、ドイツの敗北を受けて、今後のヨーロッパの勢力分轄をどうするかということと、日本に対してソ連も北からの第二戦線を開くよう促されることになっていた。だが実際には、遡ること二月に行われていたヤルタ会談で秘密議定書がつくられていて、既に、ドイツ降伏から三ヶ月以内にと、ソ連の対日参戦は決まっていたのである。ポツダムでは、ソ連の、日本への攻撃開始の具体的な方策が話し合われることになっていた。

ポツダム会談によって、日本に無条件降伏を迫る「ポツダム宣言」が決まるわけだが、このポツダム会談参加の三国には、それぞれ三者三様の思惑があった。

ソ連は、ヨーロッパ戦線に引き続き、アジアの東部戦線でも、〝勝ち戦〟に乗じて、日本の領有する地を得たいと狙っていた。日本が和平交渉を持ちかけているのを巧妙に利用し、会談では「今、日本を押さえられるのは我々だけだ」と主張した。

一方、アメリカのトルーマンは、対日戦に決着をつけるべき、ある秘策を持っていた。その秘策が成就したとの報が、図らずもポツダム会談の直前にもたらされたのである。「例の赤ん坊が生まれた」――、内密の電報にはそう書かれていた。原子爆弾の実験に成功したとの報であった。

ポツダム会談（左よりチャーチル、トルーマン、スターリン）

トルーマンは、チャーチルだけを呼び、そのことを知らせている。二人は話し合い、「これでソ連の力を借りる必要がなくなった。戦後のことを考え、ソ連に戦線参加から外れてもらおう」と決めた。

ところが、まさにトルーマンとの密約ができたその時、チャーチルは本国から思いも寄らぬ報告を受けることになる。イギリスで行われた総選挙で、党首を務める保守党が労働党に敗北して政権の座を降りることが決ったのだ。その時点で、チャーチルはポツダム会談に参加する資格を失うことになった。チャーチルは会談半ばでポツダムを後にする。代わって労働党の党首アトリーが加わることとなった。

そして、七月二十六日、「ポツダム宣言」十三項目が発せられている。「軍国主義勢力の一掃」「占領軍の駐留」「朝鮮の独立」「かつて中国領土だった地域の返還」「日本軍の無条件降伏」「軍隊の武装解除と復員」「戦争犯罪人の処罰」「民主主義の確立」「軍需産業の排除」……、それを無条件で受け入れれば、日本に戦争を終結する機会を与える、と。

宣言の署名には、アメリカ・トルーマン、イギリス・チャーチル、そしてその場にはいなかったが、中国国民党の蔣介石が名を連ねた。ソ連はまだ参戦していないので、署名には名を記すわけにはいかなかった。

宣言は、アメリカの「サンフランシスコ放送」を通じて日本に向けても流された。普段、アメリカは、日本の通信を邪魔するために妨害電波を出しているのだが、この時だけは全ての妨害電波を止めて、クリアな音声の放送を流した。日本が間違いなくこれを聞き、どう反応してくるか確かめるためにであった。

アメリカから流されてくる放送を日本が聞いたのは、日本時間の七月二十七日であった。受信後、外務省は、早速、翻訳に当らせている。だが、このポツダム宣言に関して、一つ大きな問題が判明した。それは和平後の天皇の地位についての記述があいまいなことであった。それで政府も仕方なく、即断できずにいた。

一方、大本営側は断固拒否を表明すべきだと執拗に主張した。頭からポツダム宣言など話にならないという態度であった。

結局、鈴木はこの陸軍の勢いに押されてしまった。日本の記者団に問われて、「この声明を、政府としてはただ黙殺するだけである」と答えている。

ところが、この鈴木の言葉が英訳され、誤解を招くことになった。

鈴木はあくまで〝判断を保留する〟という意味で「黙殺」という言葉を使ったのだが、海外では〝ignore〟、「意図的に無視する」という風に訳されてしまったのである。

この日本の鈴木首相の反応を見たトルーマンは、「これはチャンスだ」と思ったといわれている。

トルーマンは、もう原爆実験の段階で、日本に原爆を使うことを決めていたのだ。しかも原爆投下は「ドイツではなく、目標は一貫して日本に」と、そう命じていたのであった。鈴木の発言は、その絶好の口実を与えてしまったのである。

こうして、トルーマンは正式に日本への原爆投下を命じた。

八月六日午前八時十五分、広島に、続いて九日午前十一時二分には、長崎に原爆が投下。広島では、死者一四万人、行方不明一万人、負傷者三万人、長崎では、死者七万五〇〇〇人（いずれも昭和二十年末時点）。

さらに八日には、モスクワでモロトフ外相が佐藤尚武《なおたけ》大使に宣戦布告の文書を渡し、翌九日未明に極東ソ連軍が満州国に侵攻した。

阿南泣くな、朕には自信がある

事態はもう一刻の猶予も許さないところまで来ていた。そして、ここで「二・二六事件」以来、決して意思表示をしてこなかった天皇が、ついにその禁を破る時が来る。

天皇は、まず東郷に次のように命じた。

「このような武器が使われるようになっては、もうこれ以上、戦争を続けることはできない。不可能である。なるべく速やかに戦争を終結するよう努力せよ。このことを木戸、鈴木にも伝えよ」

天皇には、当初広島への原爆投下は告げられていなかった。しかし、天皇はそのことに気づき、報告を受けてこの決断をしたともいえた。

そして「最高戦争指導会議」が開かれることになった。

八月九日、最高戦争指導会議は、皇居で行われた。首相の鈴木が口火を切ることとなる。

「原爆といい、ソ連の参戦といい、これ以上の戦争継続は不可能であると思います。ポツダム宣言を受諾し、戦争を終結させるほかはありません。ついては各員のご意見をうけたまわりたい」

東郷が、「ポツダム宣言受諾」を明確に主張した。

しかしそれに対して、未だ反対論も相次いだ。

阿南は、実は天皇の意思は充分わかっていたが、陸軍を代表する立場として軍を押さえなければならなかった。会議では、「ポツダム宣言を受け入れたら、国体護持はできない」と鈴木に反対する意見を執拗にくり返した。

参謀総長の梅津美治郎も「ポツダム宣言では戦争犯罪人の処罰も謳っている。我々、戦争責任者の裁判はどうなるんだ、賠償金だって取られてしまうのじゃないか」と感情論をぶつけてきた。

議論は平行線をたどった。折りしも、会議の途中には、長崎への原爆投下の報も伝えられている。最高戦争指導会議は午前十時半に始まり、午後一時まで行われた。その後、閣議も行われたが、二つの会議とも結論を出すことはできなかった。引き続き、御前会議が午後十一時五十分から皇居地下にある防空壕で開かれ、日付を超えて午前二時を過ぎた。

頃合と見計らい、鈴木が切り出した。

「では、決を取ろう……」

決を取ると、鈴木を除く出席者六人がちょうど三対三の半分に分かれてしまった。

それで鈴木は天皇の前に進み出て奏上した。

「ご覧のように、臣下は三対三の同数です。陛下のお気持ちをお聞かせください」

それに対して天皇は、こう述べた。

「空襲は激化しており、これ以上国民を塗炭の苦しみに陥れ、文化を破壊し、世界人類の不幸を招くのは、私の欲しないところである。私の任務は祖先から受け継いだ日本という国を子孫に伝えることである。……昨日まで忠勤を励んでくれたものを戦争犯罪人として処罰するのは、情において忍び難いものがある。しかし、今日は、忍び難きを忍ばねばならぬ時と思う」

このときに天皇は、陸軍は本土決戦を言うが、自分が独自に調べさせたところではとうていその準備などできていないとも話している。

こうして聖断が下され、日本の「ポツダム宣言」受諾が決まった。「御前会議」の結果は、国内ではもちろん機密だったが日本の海外向け放送では流された。

だが、それではどうにも収まりがつかないところがあった。本土徹底抗戦を叫ぶ陸軍である。

暴走は止めようがなかった。それをわきまえた上、阿南も不測の事態など起きないように、「さらに勝利を目指して、いっそうの奮闘、気勢を望む」と檄をとばしている。ただしポツダム宣言受諾にあたって、統帥部の意見もいれ、天皇の地位及び国体護持についてスイスを通じてアメリカ政府に問い合わせることになった。

これに対してアメリカの国務長官バーンズが回答（「バーンズ回答」）を十二日の未明に日本側に寄せている。

「バーンズ回答」では、「天皇および日本国政府の国家統治の権限は、連合国最高司令官に〝subject to〟する」と書かれていた。この〝subject to〟を何と訳すかで揉めたのである。悩んだ末、外務省は、これを「制限下におかる」という温和な訳し方をした。

訳した文面は天皇のところにも報告された。

しかし陸軍が、その訳に対して〝待った〟をかけた。「最高戦争指導会議」の場で、〝subject to〟を「制限下におかる」という訳はおかしい、「隷属する」と訳されるのが正確だ、と反論したのである。

その上で「恐れ多くも、陛下が占領軍の下に隷属するなんて、とても飲める条件ではない」と主張した。

一方この間、外務省も、問題の〝subject to〟を確認するために、アメリカにこの真意とするところをさらに問い合わせている。

日本の外務省の問い合わせについて、バーンズは、こう回答してきた。「これは文字通りの意味である。我々はこの文章の通り貴国に要求する」と。

アメリカからの回答を受け、陸軍はさらに輪をかけて戦争継続を訴えてきた。「それ見ろ、やはりこれでは国体護持は図れないではないか。日本は徹底抗戦すべきだ」と言い張ることになる。

またもや政治、軍事指導者の間には混乱が生まれた。

見かねて天皇は、十四日、再び御前会議を自ら召集している。

この時の御前会議は異例で、いつものメンバーの他に、全閣僚、枢密院議長の参加も要請された。

御前会議の場で天皇は、こう述べている。

「反対論の趣旨はよく聞いたが、私の考えは、この前いったことに変わりはない。私は、国内の事情と世界の現状を充分考えて、これ以上戦争を継続することは無理と考える」

それを聞くや、出席者たちは全員、すすり泣きを始めた。中には号泣する者もあった。

そして、阿南が涙ながらに、天皇にこう言った。

「これを認めれば日本は亡国となり、国体護持も不可能になります」

この時、「国体護持も不可能になる」という発言を聞くや、天皇は不思議な言葉を発している。

「いや、朕には自信がある。国体護持には自信がある。自信があるから、泣くな、阿南……」

また、こうも語った。

「私が国民に呼びかけることがよければ、いつでもマイクの前に立つ。……必要があれば、私はどこへでも出かけて親しく説き諭してもよい。内閣では、至急に終戦に関する詔書を用意して欲しい」と。

阿南の言葉を受けて「国体護持には自信がある」と、この時、天皇ははっきりと語った。私は、この意味するところが、未だによくわからないのだ。なぜ天皇には「自信がある」といいきれる根拠があったのだろうか……。

推測できることは三つある。一つは、降伏後、占領下になって連合国とたとえ政治闘争を行っても、〝自分は決して負けるつもりはない。いかなる形にせよ国体護持してみせる〟との決意表明からという考え方だ。二つ目は、天皇が臣下たち、特に阿南を慮って、その場を収拾するために言った、と。そして三つ目として、天皇の下に誰かから確実な情報が入っていたのではないかということも考えられる。

しかし、いずれにしても、その天皇の言葉で、今度こそ有無を言わせず日本の「ポツダム宣言」受諾が決まったのであった。

天皇は、言葉通り、その夜には、宮内省で「玉音放送」を録音するに及んだ。

それを知った、陸軍省軍務局軍事課の中堅将校と近衛師団の一部の参謀たちが、十五日未明になって、録音盤を奪取しようとする事件も起きたが、すぐに鎮圧され、事なきをえている。

八月十五日の朝、阿南は陸軍を代表する立場としての自覚から、自刃した。「一死以て大罪を謝し奉る」「神州不滅を信じつつ」と、そう遺書には認《したた》められていた。また阿南は、自決の前に鈴木のもとを訪ね、自分の立場から迷惑をかけることが多かったといって詫びている。一方で自決の直前には物騒なことも口にしていた。義弟で軍務課の竹下正彦中佐に向かって「米内を斬れ！」といっていたというのだ。

九日の御前会議で、「ポツダム宣言」を受けいれるか、拒むかの論議の際には、三対三になった。その時、反対側は梅津、軍令部総長の豊田副武《そえむ》、それに阿南だった。本来なら、海相の米内も反対を表明するべきところ、賛成に回ったと判断して、阿南は怒ったのかもしれない。あるいは米内は常に和平の動きに同調したが、そのことに不満が募っていたのかもしれない。あるいは、この戦争は海軍主導のはずだったのに戦況が悪くなると逃げるという陸軍側の反発があったのかもしれない。

第五章

八月十五日は「終戦記念日」ではない

——戦後の日本

皇居地下で行われた御前会議（寺内万次郎の絵による）

なぜ、こんな無謀な戦争を始めてしまったのか、なぜ、歴史的使命も明確でなく、戦略も曖昧なままに、戦争を続けてしまったのか——。

誤解を恐れず結論的にいうなら、「この戦争は始めなければならなかった」のだ。戦争で亡くなった三一〇万人（戦後の戦病死を含めると五〇〇万人になるだろうが）のことを考えると、本当に気の毒としかいいようがない。しかし、日本はやはり戦争に向かう〝必然性〟があったのだと思う。

たとえ、昭和十六年十二月八日に始めなくても、遅かれ早かれ、軍の暴発は起こっていたはずだ。他に選択肢がなかったのだから。今でいう〝逆ギレ〟のようなものだろう。緻密な戦略を立てる前に〝手が出てしまった〟という感じだった。もっとも、始めたはいいが、〝どう収めるべきか〟ということを全く考えていなかったのは、お粗末というしかなかった。

明治以降、日清、日露戦争と来て、いつの間にか〝夜郎自大〟となってしまっていた。こういう言い方をしたら語弊があるかもしれないし、乱暴かもしれないが、明治期以降の日本はいったん〝ガス抜き〟が必要であったのだろう。

そして、誰も「なぜ戦っているのか」という疑問も持たず、無為無策のまま戦争を続け、本土決戦まで持ち込まれる寸前までいった。「一億玉砕」などという事態にもなりかねなかった。

こういう言葉も誤解を招くかもしれないが、あえて使わせてもらうと「原爆のおかげで終戦は早まった」のだ。

戦争継続なら八月十五日以降、空襲はもっと激しさを増していただろう。皇居や京都にだって爆弾を落とされていたかもしれない。あるいは、アメリカ軍の日本本土上陸作戦が実行されていたら、果してどうなっていたか……。

また、後でも触れるが、もし昭和二十年八月九日にソ連が満州に侵攻し、そのまま攻められ続けていたら、間違いなく「東日本社会主義人民共和国」なる国家が生まれていただろう。

歴史に他の選択肢はないが、「原爆」を落とされ、負けた。その結果、アメリカに占領されてよかったという見方もできる――。

　それで、日本人は、アメリカ軍が来たら「竹槍で刺し違える」などといっていたのが、一夜明けると、全てがリセットされてしまった。そしてその後は、見事に占領軍に治められてしまう。みな「アイ・ラブ・マッカーサー」に変わってしまえるのだ。昨日まで全国民の約十人に一人が兵士となり、アメリカ相手に憎悪をかきたてた戦いをしていたのが、まるでウソのように掌を返して好意的になってしまう。こんな極端な国民の変身は、きっと歴史上でも類がないだろう。

　そのことを、悪いというつもりはないし、いいというつもりもない。ただ、それが日本人の国民性なのだと思う。

　あるいはこうも言えるかもしれない。戦争の以前と以後で、日本人の本質は何も変わっていないのだと。

　敗戦後のどん底生活から、高度成長を成し遂げた。その〝集中力〟たるや、私には太平洋戦争に突入した時の勢いと似ているように思えてしまう。つまり逆にいうと、高度成長期までの日本にとって、〝戦争〟は続いていたのかもしれない。ひとたび目標を決めると猪突猛進していくその姿こそ、私たち日本人の正直な姿なのだ。

こんな笑い話がある。戦前にブラジルに渡った日本人たちがいた。

彼らは、太平洋戦争中もずっとブラジルにいたから、戦争のことはニュースで聞くだけで、話の上でしか知らなかった。日本が負けたと聞いた時も「日本が負けるわけがない」と信じていた一派がいた。彼らは「勝ち組」と呼ばれた。

さて、「勝ち組」の連中が昭和三十五年頃、久し振りに祖国に帰ることになった。戦争で東京は焼け野原になったと聞いていたので、覚悟して帰ってみたら、焼け野原どころか、何とビルが立ち並んでいるではないか……。

「何だ、やっぱり日本は戦争に勝ったんじゃないか」、彼らはそう思ったという。

「シベリア抑留」という刻印

八月十五日、「玉音放送」がなされると、天皇は政務室に一人こもり、自らが行った放送を聞いていた。そして放送が終るとすぐに侍従部屋のベルを鳴らした。詰めていた侍従の岡部長章《ながあきら》が政務室に赴くと、天皇は岡部に「今の放送はどうだったろうか」と尋ねた。国民が「玉音放送」をどのように受け止めているのか気にしている様子であった。

岡部の兄、長挙《ながこと》は、朝日新聞社の社長を務めていたので、岡部は「では、兄に聞いてみます」と答えた。朝日新聞に赴いて、長挙に確かめてみると、「全国から入ってくる情報では、みんな泣きくれてはいるが、国民は放送の内容をきちんと受け止めている様子である。また特別、不穏な動きもないようだ」という。

早速、天皇にそのことを伝えると、「あっ、そうか。それはよかった」といって晴れ晴れした表情を見せたという。それは、昨日までの思いつめた様子とは全く裏腹に感じられたと。

敗戦と共に、その責務を全うした鈴木貫太郎内閣は総辞職した。後継の首相には、皇族である東久邇宮稔彦《ひがしくにのみやなるひこ》が就いている。

皇族内閣というのは、もしも政治的な失態があった場合には、天皇家が責任を取らなければならなくなってしまう。その責めを防ぐために、「避けるべき」と、常々天皇は言っていた。だがこの時ばかりは違った。天皇自ら東久邇を呼び、戦後の国の舵取りを頼んだ。

戦線の各地では、まだ混乱はあったが次第に日本軍は武装解除していき、アメリカを中心とする連合国に投降していった。

ただ、八月十五日以降も収まらない地があった。満州、樺太、千島列島の、ソ連との戦線である。

「日ソ中立条約」を一方的に破り、八月九日、ソ連は満州に侵攻してきた。その勢力たるや、戦車五〇〇〇両、飛行機五〇〇〇機、火砲二万四〇〇〇門、兵員一七四万名という圧倒的なものであった。一方の関東軍は、ほとんどの戦力が南方、本土に送られており、わずか戦車二〇〇両、飛行機二〇〇機、火砲一〇〇〇門しかなかった。兵士には銃器さえゆきわたっていなかった。

ソ連軍の南下は止めようがなかった。新京（現長春）にあった関東軍司令部も撤退を余儀なくされ、司令部は満州南の通化に移されていく。

悲惨だったのは、関東軍司令部が撤退となり、取り残された日本人たちであった。兵士はもちろんのこと、満州には、女性や子供を含む、数多くの民間人がいた。彼ら彼女らは、ソ連兵による容赦ない略奪、蹂躙にも晒された。

大陸の満州から南下する部隊とは別に、ソ連軍はまた、樺太方面から、それにカムチャッカ半島から千島列島沿いに、二経路に分け侵攻してきた。ここでも多くの日本の民間人が犠牲となっている。

八月十五日に「ポツダム宣言」受諾の意を表明したあと、関東軍も武装解除を準備する。

十九日になると、ソ連極東軍司令部から、関東軍に通達が来た。ソ・満国境近くの町、ジャリコーウォにて〝話し合い〟を持つために出向くように、とのことであった。

ソ連側からは、極東軍司令官のワシレフスキー元帥、日本側からは、総参謀長の秦彦三郎以下二人の参謀が同行した。

そこでワシレフスキーは、次のように命令を示達している。

「即刻、関東軍を武装解除すること」、「解除した上で、一〇〇〇人単位で大隊を作り、指令が出るまでそれぞれの地で待て」と。

示達を受けた関東軍は、ワシレフスキーの言葉通りに従った。

関東軍兵たちは、「一〇〇〇人単位の大隊を作り待てということは、きっと、我々を日本へ帰国させてくれるからだろう」と勝手に思い込み、喜んでいた。

やがて列車に乗せられ連れて行かれるのだが、その先は日本への帰国の道ではなかった。シベリアの収容所だったのである。

ワシレフスキーの命令示達から連行までには一週間ほどのブランクがあった。実はこの間に、スターリンとトルーマンとの間で、こんなやり取りがあったのである。

〝勝ち戦〟に乗じて日本の領土が欲しかったスターリンは、トルーマンに「我々は関東軍を掌握し、北海道方面に侵攻している。ソ連の制圧地域として北海道を認めて欲しい」と要求していた。しかし、トルーマンは、決してそれを認めなかった。スターリンはもう一度、「北海道が欲しい」と重ねて訴えるが、やはり断られてしまう。ならばと、「領土の代わりに、関東軍の兵を労働力としてもらう」と勝手に決めてしまった節があるのだ。

こうして「シベリア抑留」が行われた。多くの日本兵が、極寒の地で強制労働につかされた。宿舎に暖房らしい暖房はなく、粗末な食事しか与えられなかった。そのうえ、スターリン主義への洗脳教育を強制された。そんな抑留が、長い者で十三年近くも続けられた。

昭和三十一年、「日ソ共同宣言」時のソ連側の発表では、抑留者の総計は六万人とされた。だが、事実はそんな生易しいものではない。少なく見積もっても六〇万人、一説には一〇〇万人の日本兵が抑留され、戦後に犠牲になった兵士は一〇万人近くに及ぶとの説があった。

また、ソ連軍は八月十五日以降も、国家の意思として攻撃の手を緩めなかった。樺太、千島列島に侵攻を続けていたのである。

八月十八日、激しい砲撃の末、千島列島北端の占守島《シュムシュ》、幌筵島《パラムシル》に侵攻。さらに二十八日には択捉島《エトロフ》、九月四日には歯舞《ハボマイ》、色丹島《シコタン》を占領している。そして今でも北方領土は日本に還ってきていない。

「日ソ中立条約」を破り、八月十五日以降も侵攻、それどころか九月四日までも侵攻を続けていたのである。これは、いったいどういうことか。ソ連のある外交官に質した時に、彼は次のような言い分をくり返した。

「我々にとっては、日ソ中立条約よりヤルタ会談の〝秘密議定書〟の方が国際的に見て意味が大きかった。それに我々ソ連は、日本が降伏文書に署名したその日（九月二日）が戦争の終わりであり、それまでは戦争状態だったのだ」

〝戦後〟も、戦争は続けられていたのである。

太平洋戦争はいつ終ったか？

八月十七日に誕生した東久邇宮内閣は、とりあえず「ポツダム宣言」の内容を実行することを表明した。しかし表明したものの、どこから手をつけていいのかまるで見当がつかなかった。

そこで、急遽、日本占領の連合国最高司令官に任命されたというマッカーサーのいるマニラに、参謀次長の河辺虎四郎《かわべとらしろう》をはじめとする使節団を送ることにした。

そこで河辺らは、連合国総司令部の面々と対面することになる。そして総司令部より、二十三日に先遣隊が日本に上陸すること、二十六日にはマッカーサー元帥も到着、そして降伏調印式を八月二十八日に行うことを伝えられた。

だが、あまりに急な日程の提示に、河辺は「混乱なく整然と進駐を受け入れられるように、我々の帰国後十日の猶予を与えて欲しい」と要請した。

それに対して総司令部は、「では、帰国後五日間としよう」と応じた。

先遣隊が神奈川県厚木の航空基地に、実際に着いたのは二十八日。台風の影響を受け、二日遅れての到着となった。続いてコーン・パイプをくわえたマッカーサーが、同じく厚木に降り立ったのは三十日のことであった。

マッカーサーとその参謀たちの本拠地は、横浜市内にあるニューグランド・ホテルに設えられた。

マッカーサーの宿舎となった横浜のニューグランド・ホテル

アメリカ兵たちは、当初、内心かなり警戒していたという。彼らが聞いていた日本人は〝野蛮〟であり、〝好戦的〟であるはずであったから。しかもつい二週間ほど前までは戦地で戦っていた相手である。いくら戦勝国だからといって、その敵地に乗り込んでいくのだ。どんな突発事態が起きるかもわからない……。

しかし、その不安は杞憂に終った。

象徴的な光景があった。マッカーサーが厚木から横浜まで行く道のりは、日本兵が護衛に当った。その国道沿いにずらりと日本兵が並んだのである。しかし彼ら日本兵はみな銃器は持たず丸腰、しかも敵意がないことを示すために、マッカーサーに背中を向けて立っていた。その後も、マッカーサーたちに不測の事態が起きることがなかったのはいうまでもない。

日本に着いた翌日から、早速、マッカーサー司令部と日本政府側との交渉が始まった。そして「降伏文書」の調印式は、九月二日に、東京湾上のミズーリ号で行うことが決まった。

慌しい日程ではあったが、東久邇宮内閣は、迅速にそれに対処していった。しかしひとつだけ、この時、悶着が起きている。日本側では、誰がミズーリ号の調印式に出席するかで、軍部が揉めたのである。

調印式には、大本営の陸軍部、海軍部から、そして政府から、最低一人ずつ出席することが義務付けられていた。

内閣では、外相の重光葵が出席することが、早々に決まったのだが、軍事指導者たちは、当然のことながら、誰も行くのを嫌がって決まらない。陸軍を代表するのは参謀総長の梅津美治郎が一番の適任者であったが、梅津は「敗軍の将にそこまでやらせないでくれ。頼むから勘弁してくれ」と、何としても譲らない。

結局、すったもんだの末、天皇が直々に梅津を説得して、何とか納得させ、日本軍代表となることが決まった。海軍は軍令部出仕の横山一郎が赴くことになった。

ミズーリ艦上で調印する重光葵全権

結局、全権団のメンバーは、天皇の名代である重光葵、そして日本軍を代表する梅津を全権とする、総勢十一名が決まった。

この九月二日に戦勝国九カ国と日本は調印を行って、初めて日本の太平洋戦争は正式に終ったのである。

今日、日本人の誰かに、「太平洋戦争はいつ終ったか？」と聞いてみる。それは、中学生でも、高校生でもいい。たいていの人は「八月十五日」と答えるはずだ。

本書の冒頭でも書いた、夏の甲子園球場での高校野球でも、八月十五日にみな一斉に黙禱している。

「八月十五日」という日は、何か一億総懺悔をしなければいけない日のようになっている。

昭和二十年八月十五日の朝日新聞社説に書かれた〝一億相哭の秋《とき》〟とでもいった具合に。だが「戦争が終った日」は、八月十五日ではない。ミズーリ号で「降伏文書」に正式調印した九月二日がそうである。いってみれば八月十五日は、単に日本が「まーけた！」といっただけにすぎない日なのだ。

世界の教科書でも、みんな第二次世界大戦が終了したのは、九月二日と書かれている。八月十五日が「終戦記念日」などと言っているのは、日本だけなのだ。

「終戦」という言葉も、私はどうも気に入らない。

東久邇宮内閣は九月の始めに議会を開き、そこで首相自らが国民に向けて戦争終結のメッセージを送る演説を行っている。その演説の草稿の段階で、陸相であった下村定《さだむ》が草稿の中の〝敗戦〟という言葉を見つけるや、「〝敗戦〟ではなくて、〝終戦〟としてほしい」と注文をつけてきた。その時、東久邇宮首相は、「何を言うか、〝敗戦〟じゃないか。〝敗戦〟ということを理解するところから全てが始まるんだ」と一喝したという。

私は、東久邇宮が言うことは、なるほど筋が通っていると思うのだ。

調印式の行われたミズーリ号の一角には、二枚の星条旗が額に入れられ飾ってあったという。一つは、「真珠湾攻撃」の際、ホワイトハウスに掲げられていたもの。もう一つはだいぶ年季の入った、ところどころ綻びも出ているものであった。それは、一八五三年、ペリー提督が日本にやってきて開港を迫った時に掲げられていた星条旗であった。「もともとお前たちの国を開いてやったのは、我々の国ではなかったのか」と問い掛けるような、アメリカのデモンストレーションであった。

名もなき戦士たちの墓標

さて、三年八ヶ月にわたる日本の太平洋戦争は、こうして全て終ったわけである。だが、最後に一つだけ、この戦争で葬り去られてしまった日本人たちのことを、私は記しておきたいと思う。

それは、異国の地に戦後も留まり、埋もれていった兵士たちの存在である。

八月十五日以降、東南アジアの国々でも日本軍は武装解除を行った。武装解除した日本兵は、みな収容所に降《くだ》っていった。

だが忘れてはならないのは、日本軍がいなくなった後、マレーはイギリスに、インドネシアはオランダに、ベトナムはフランスにと、また支配されていった事実である。なんのことはない。西欧列強の植民地主義が復活したのだ。

それぞれの国々では、その地に住む人々による民族独立運動が、再び起こっていたのだ。

そうした民族義勇軍の中には、一部の日本兵たちも加わった。彼らは、日本人であることを捨てて、あえてそうした民族独立運動の戦いの中に身を置いていったのである。

インドネシアでは、現地の独立義勇軍に、武器を持って参加した日本兵たちがおよそ三〇〇〇人近くもいた。その内、一〇〇〇人が独立運動で命を失い、一〇〇〇人は、その後、日本に帰国した。

インドネシアでは、戦死した一〇〇〇名を国立英雄墓地に葬り、今でも英雄として扱っている。

そして、三〇〇〇人の残りの一〇〇〇人は、現地に住み着き、現地人の妻を娶《めと》り、インドネシア人として生き続けていた。

ある日本の商社マンが、昭和三十年代、インドネシアで、そこの国営会社とビジネスの交渉をしていたという。相手は現地の人だと思い、インドネシア語で会話をしていたら、突然、「実は、私は日本人なんですよ」と告白され、ビックリしてしまったと聞いたことがある。久し振りに会った日本人を相手に、彼は懐かしそうに日本の軍歌を歌ってみせたとか。

こうした人たちは、実は数多くいるのだ。インドネシアだけに限らない。ビルマ（現ミャンマー）にもいる、ベトナムにもいた。その国の独立運動のために命を賭した。

彼らは日本人というだけで、ときに懸賞金をかけられていた。そうした彼らの多くは、戦い、死んでいった。日本人を捨て、異国のジャングルの地でまさに草生《む》す屍《かばね》になっていった。

しかし、こうした真の「東亜解放」の戦士たちは、日本では「逃亡」扱いとされ、生きて日本に帰ってきた者も、軍人恩給の面で差別されていた。

彼らは日本から送られ、そして見捨てられた。彼らの存在は、今では忘れられ、ほとんど語られることすらない。どの程度こういう兵士たちがいたのか、正確な数さえわかっていない。いわば歴史の〝棄民〟である。日本へ複雑な感情もあるだろう。しかし、決して彼らの声は聞こえてこない。いや戦後の日本社会が聞こうとしなかったのだ。

ここでも、戦争は終っていなかったのである。

よく、「大東亜共栄圏はアジアの独立、解放のためになったのだ」などと、したり顔で言う元高級軍人や政治家を見受ける。それに追随して「大東亜戦争の肯定論」を撒く人たちがいる。そんな彼らを見ていると、戦後、日本で安穏と暮らしながら、臆面もなくよく言うよと思ってしまう。歴史から抹殺された彼らのことを思うと、そういう発言に不謹慎な響きを感じる。

こういう人たちに指導された結果があの戦争だったのだと改めて怒りがわいてきてしまうのだ。

あとがき

私の〝太平洋戦争批判〟の主要な点は二点に絞られる。第一点が、なぜあのような目的も曖昧な戦争を三年八ヶ月も続けたかの説明責任が果たされていないこと。第二点が、戦争指導にあたって政治、軍事指導者には同時代からは権力を賦与されたろうが、祖先、児孫を含めてこの国の歴史上において権限は与えられていなかったこと。この二点である。

わかりやすく言おう。あの戦争の目的は何か、なぜ戦争という手段を選んだのか、どのように推移してあのような結果になったか、あの時代の指導者は結局はなにひとつ説明していない。戦後の内閣も、たとえあの戦争に批判的であっても、当時の資料を用いながら最低限戦争の内実を国民に説明する義務があるように、私には思える。これが第一点だ。

第二点は、あの戦争では「一億総特攻」とか「国民の血の最後の一滴まで戦う」などといったスローガンが指導者によって叫ばれた。馬鹿なことを言いなさんな、この国の人びとをそんな無責任な言辞を弄して駆りたてる権利は、「歴史上」はあなたたちに与えられていないと、私は言いたいのだ。いやあれは士気を鼓舞するため、と言うのなら、そんなことでしか士気を鼓舞できないなら、それは自身の歴史観の貧困さを語っているだけではないか。

太平洋戦争を正邪で見るのではなく、この戦争のプロセスにひそんでいるこの国の体質を問い、私たちの社会観、人生観の不透明な部分に切りこんでみようというのが本書を著した理由である。あの戦争のなかに、私たちの国に欠けているものの何かがそのまま凝縮されている。そのことを見つめてみたいと私は思っているのだ。その何かは戦争というプロジェクトだけではなく、戦後社会にあっても見られるだけでなく、今なお現実の姿として指摘できるのではないか。

戦略、つまり思想や理念といった土台はあまり考えずに、戦術のみにひたすら走っていく。対症療法にこだわり、ほころびにつぎをあてるだけの対応策に入りこんでいく。

現実を冷静にみないで、願望や期待をすぐに事実に置きかえてしまう。太平洋戦争は今なお私たちにとって〝良き反面教師〟なのである。

本書は、太平洋戦争の戦史を克明に追ったわけではないし、これまでの書のように政治的に、あるいは思想的に語ったのではない。日常の次元に視点をおろして、私たちの問題として考えてみたいと思って編んだ。その意図を汲みとって読んでいただければ望外の喜びである。

戦後六十年の今、太平洋戦争のなかに見落としていた事実や視点をもとに考えてみることで、私たちはこの戦争が歴史のなかではどう語られるかを改めて考えていくべきときのように思う。

刊行までに新潮社常務取締役の石井昂氏にお世話になった。いつかこのような書を編みたいと話しあってきたが、今回それが実って私も嬉しく思う。石井氏には改めて感謝したい。新潮新書編集部部長の三重博一氏、編集部員の今泉眞一氏にもお礼を言いたい。今泉氏に資料を集めていただいたが、そのほかにも多くの点でご尽力をいただいた。ときに三氏からは貴重な意見を聞くこともできた。私には参考になることばかりだったことを付記しておきたい。

二〇〇五年六月

保阪正康

太平洋戦争に関する年表

昭和	西暦	月日	日本の動き	月日	世界の動き
6	1931	9・18	満州事変が勃発。		
7	1932	5・15	五・一五事件。海軍青年将校らが犬養首相を暗殺した。		
8	1933	3・27	日本政府、国際連盟脱退を通告する。	1・30	ヒトラーがドイツ首相に就任。
				3・4	ルーズベルトがアメリカ大統領に就任。
11	1936	2・26	二・二六事件。		
12	1937	7・7	盧溝橋事件。北平（北京）郊外で日中両軍が衝突。		
		8・13	第2次上海事変。以後、日中全面戦争に発展する。		
		11・4	戦艦「大和」が呉海軍工廠で起工。		
		20	大本営が設置される。		
		12・13	日本軍、南京を占領（南京大虐殺）。		
14	1939	8・30	山本五十六中将が連合艦隊司令長官に就任。	8・23	独ソ不可侵条約、モスクワで調印。
				9・1	ドイツ軍がポーランドに侵攻。第二次世界大戦勃発。
15	1940	7・22	第2次近衛文麿内閣が発足。	6・14	ドイツ軍、パリ無血入城。
		9・23	日本軍、北部仏印に進駐。	8・8	ドイツ軍、英本土爆撃開始。
		27	日独伊三国同盟、ベルリンで調印。		

		10・12	大政翼賛会が発足。
		11・10	宮城前で皇紀二六〇〇年の大式典が開催される。
16	1941	1・8	東條英機陸相「戦陣訓」を示達。
		4・1	小学校を国民学校に改称。
		6	大都市で米穀配給通帳制、外食券制となる。
		13	日ソ中立条約、モスクワで調印。
		16	野村吉三郎駐米大使、アメリカのハル国務長官との間で日米交渉が正式に始まる。
		7・2	関東軍特種演習（関特演）が発動。
		18	第3次近衛文麿内閣が発足。
		25	米政府、在米日本資産を凍結する。
		28	日本軍、南部仏印に進駐。
		8・1	米政府、対日石油輸出を全面禁止。
		10・16	第3次近衛文麿内閣が総辞職。
		18	東條英機内閣が発足。
		11・26	アメリカ側が「ハル・ノート」を提示する。
		12・1	御前会議で対米英蘭開戦を決定。
		8	佗美支隊、マレー半島コタバルに上陸開始。第1航空艦隊、真珠湾奇襲攻撃を開始。真珠湾攻撃より55分遅れて、野村大使・来栖特使、ハル国務長官に開戦通告を手交。
		10	マレー沖海戦。
		16	戦艦「大和」が竣工。
		22	日本軍、ルソン島リンガエン湾に上陸。

6・22	ドイツ軍、ソ連に奇襲攻撃（独ソ戦が始まる）。
12・5	ソ連軍が反攻開始、モスクワのドイツ軍を撃退。
8	ヒトラー、モスクワ攻撃中止を指令。

太平洋戦争に関する年表

年号	西暦	月・日	日本
		25	香港占領。香港の英軍が降伏。
17	1942	1・2	マニラ占領。
		23	日本軍、ニューブリテン島のラバウルを占領。
		2・1	みそ・しょうゆに切符配給制実施。衣料も点数切符制となる。
		15	シンガポール占領。
		3・12	マッカーサー米比軍司令官、コレヒドール島を脱出。
		4・18	ドゥリットル空襲（米軍のB－25爆撃機による日本本土初空襲）。
		5・7	第4師団、コレヒドール島を占領。珊瑚海海戦（～8）。
		6・5	ミッドウェー海戦（～6）。
		8	陸軍北海支隊、アッツ島を占領。海軍陸戦隊、キスカ島を占領。
		7・6	海軍飛行場設営隊、ガダルカナル島に上陸。
		8・7	米第1海兵師団、ガダルカナル島に上陸。
		9	第1次ソロモン海戦。
		18	一木支隊、ガダルカナル島タイポ岬に上陸。
		21	一木支隊、全滅。
		24	第2次ソロモン海戦（～25）。
		31	川口支隊主力、ガダルカナル島に上陸。
		9・12	川口支隊、ガダルカナル島で総攻撃（～13）。
		10・9	第2師団主力、ガダルカナル島に上陸。
		24	第2師団、ガダルカナル島で総攻撃開始（～

月・日	世界
1・20	ヴァンゼー会議でナチス指導者、ヨーロッパのユダヤ人約1100万人の絶滅政策を決定（アウシュビッツ収容所等へのユダヤ人大量移送が始まる）。
6・11	米ソ相互援助条約調印。
8・13	米マンハッタン計画（原爆製造）開始。
23	ドイツ軍、スターリングラード（ボルゴグラード）攻撃を開始。

		25)。		
	26	南太平洋海戦（〜27）。		
	11・12	第3次ソロモン海戦（〜14）。	11・19	ソ連軍、スターリングラードで反撃開始。
	15	第38師団、ガダルカナル島に上陸。	23	ソ連軍、スターリングラードのドイツ軍を包囲。ヒトラー、スターリングラード死守を厳命。
	30	ルンガ沖海戦。		
	12・31	大本営、ガダルカナル島撤退を決定。		
18 1943			1・14	ルーズベルト、チャーチルによるカサブランカ会談開催（〜25）。
	2・1	日本軍、ガダルカナル島からの撤収へ。	2・2	スターリングラードの全独軍降伏。
	8	日本軍、ガダルカナル島から撤退を完了。		
	3・2	ビスマルク海海戦（〜3）。		
	27	アッツ島沖海戦。		
	4・18	連合艦隊司令長官、山本五十六大将が戦死。		
	21	古賀峯一大将が連合艦隊司令長官に就任。		
	5・12	米軍、アッツ島に上陸。		
	29	日本軍のアッツ島守備隊が玉砕。		
	6・5	山本五十六元帥の国葬が行われる。		
	7・29	キスカ撤収作戦。キスカ島の守備隊、撤収に成功。		
	8・1	日本占領下のビルマ独立宣言、米英に宣戦布告。	8・14	カナダでルーズベルト、チャーチルによる第1次ケベック会談開催（〜24）。
	9・4	米軍、ニューギニアのラエ、サラモアに上陸。	9・8	イタリア、無条件降伏。
	23	女子の就業範囲を拡大。25歳未満の女子を勤労挺身隊として動員。		

年	月日	事項	月日	世界の事項
	30	御前会議、絶対国防圏を策定。		
	10・14	日本占領下のフィリピン独立宣言。	10・19	モスクワで米英ソ3国外相会談（～30）。
	21	シンガポールで自由インド仮政府が樹立。神宮外苑競技場で学徒出陣壮行大会が開かれる。		
	11・1	米軍、ブーゲンビル島のタロキナに上陸。	11・22	ルーズベルト、チャーチル、蔣介石によるカイロ会談開催（～26）。
	5	大東亜会議が東京で開催（～6）。	28	ルーズベルト、チャーチル、スターリンによるテヘラン会談開催（～12・1）。
	21	米軍、マキン島、タラワ島に上陸。		
	24	マキン島守備隊が玉砕。		
	25	タラワ島守備隊が玉砕。		
	12・15	米軍、ニューブリテン島マーカス岬に上陸。		
19 1944	1・7	大本営、インパール作戦を認可する。	1・26	ソ連軍、レニングラードを奪還。
	2・2	米軍、クェゼリン環礁に上陸。		
	6	クェゼリンの日本軍守備隊が玉砕。		
	19	米軍、ブラウン環礁に上陸。		
	21	東條首相（陸相兼任）が参謀総長を兼任。		
	23	ブラウンの日本軍守備隊が玉砕。		
	3・8	インパール作戦開始、第33師団進撃を開始。		
	15	第15師団、第31師団、インパールに向け進撃を開始。		
	4・6	第31師団、インパール北方のコヒマを占領。		
	22	米軍、ニューギニアのホーランディア、アイタペに上陸。		
	5・5	大本営、古賀峯一元帥の殉職を発表する。	5・15	ハンガリーのユダヤ人に対するアウシュビッツ収容所への移送が始まる。
	6・1	第31師団、コヒマからの撤退を開始。		
	15	米軍、サイパン島に上陸。		

19 マリアナ沖海戦（〜20）。
28 ビアク島の日本軍守備隊が玉砕。
7・5 ビルマ方面軍にインパール作戦の中止を命令。
7 サイパン島の日本軍守備隊が玉砕。
18 東條英機内閣が総辞職。
21 米軍、グアム島に上陸。
8・2 テニアン島の日本軍守備隊が玉砕。
4 国民総武装決定。竹槍訓練が始まる。
11 グアム島の日本軍守備隊が玉砕。
10・10 米機動部隊、沖縄を空襲。
12 台湾沖航空戦（〜15）。
18 兵役法施行規則改正公布。17歳以上を兵役に編入。
20 米軍、フィリピンのレイテ島に上陸。
23 レイテ沖海戦（〜26）。
25 海軍の神風特別攻撃隊が初出撃。
11・24 マリアナ諸島から出撃したB－29による東京初空襲。

20
1945

1・9 米軍、ルソン島のリンガエン湾に上陸。
2・3 米軍、マニラ市街に突入。
19 米軍、硫黄島に上陸。
3・3 米軍、マニラを完全占領。
10 東京大空襲。
13 大阪大空襲（〜14未明）。

6・6 連合軍、北仏ノルマンディーに上陸開始。
30 連合軍、北仏シェルブールを占領。
8・25 パリ解放。連合軍、パリに入城。
1・27 ソ連軍、アウシュビッツ収容所を解放。
2・4 ルーズベルト、チャーチル、スターリンによるヤルタ会談開催（〜11）。
3・19 ヒトラー、ドイツ全土の焦土作戦

24	硫黄島の日本軍守備隊が玉砕。
4・1	米軍、沖縄に上陸。
5	小磯国昭内閣が総辞職。
7	鈴木貫太郎内閣が発足。沖縄水上特攻部隊（第2艦隊）が壊滅。戦艦「大和」沈没。
5・2	米軍、ミンダナオ島のダバオを攻略。英印軍、ラングーンを占領。
14	政府首脳、ソ連を仲介とした終戦工作の方針を決定。名古屋大空襲。
29	横浜大空襲。
6・8	御前会議、本土決戦の方針を確認。
19	福岡大空襲。
22	御前会議、終戦工作の促進を確認。
23	義勇兵役法公布。15～60歳の男子、17～40歳の女子で国民義勇戦闘隊を編成。
	沖縄の第32軍、組織的抵抗終わる。
7・10	仙台大空襲。
13	終戦工作のため近衛元首相の派遣をソ連政府に申し入れ。
18	ソ連政府、近衛特使の受け入れを拒否。
26	米・英・中によるポツダム宣言が発表（日本

	を命令。
4・12	ルーズベルト米大統領が死去。トルーマン副大統領、大統領に就任。
27	ムッソリーニがパルチザンに逮捕される。
28	ムッソリーニ、処刑される。
30	ヒトラー、ベルリンの地下壕で自殺。
5・2	ソ連軍、ベルリンを占領。イタリアのドイツ軍降伏。
8	ドイツ、連合国に無条件降伏。
6・1	米スチムソン委員会、米大統領に日本への原爆投下を勧告。
5	米英仏ソ4カ国、ドイツの分割占領などを定めたベルリン協定に調印。
7・5	イギリス総選挙、チャーチルの保守党がアトリー率いる労働党に惨敗。
16	アメリカ、ニューメキシコ州での原爆実験に成功。

政府黙殺）。

8・6 広島に原子爆弾投下。
8 ソ連、日本に宣戦布告。ソ連軍満州に侵攻。
9 長崎に原爆投下。御前会議開催。
10 未明、天皇の「聖断」により終戦決定する。
12 日本の降伏条件の字句をめぐり、軍部・政府でポツダム宣言受諾可否が紛糾する。
14 御前会議でポツダム宣言受諾（無条件降伏）を最終決定する。
15 正午、玉音放送が行われる。日本無条件降伏。
鈴木貫太郎内閣が総辞職。
17 東久邇宮稔彦内閣が発足。
20 河辺虎四郎参謀次長ら、マニラで連合軍からの降伏文書・一般命令を受領。
28 GHQ（連合国総司令部）横浜に開設。
30 連合国最高司令官マッカーサー元帥、厚木飛行場に到着する。
9・2 米戦艦「ミズーリ」艦上で降伏文書調印式。
11 GHQ、東條英機元首相ら39名に逮捕命令。
27 天皇、マッカーサーを訪問。

17 トルーマン、チャーチル、スターリンによるポツダム会談開催（〜8・2）。
27 イギリス、アトリー労働党内閣発足（政権交代にともない、ポツダム会談の英代表もチャーチルからアトリーに交代）。
8・17 インドネシア共和国が独立を宣言。
9・2 ベトナム民主共和国が独立を宣言。
マッカーサー元帥が朝鮮半島の分割占領を発表。

21（1946）

1・1 天皇、神格化否定の詔書（人間宣言）。

5・3 極東国際軍事裁判（東京裁判）開廷。

---

29 英蘭軍とインドネシア人民軍との戦闘が始まる。

11・20 ニュルンベルク国際軍事裁判（ナチスに対する戦犯裁判）が開廷。

2・10 オランダ、インドネシアの条件付き独立を承認。

3・5 チャーチル、「鉄のカーテン」演説を行う（東西冷戦の始まり）。

保阪正康　1939(昭和14)年北海道生まれ。ノンフィクション作家、評論家。近現代史、特に昭和史の実証的研究を志す。著作に『昭和陸軍の研究』『昭和史七つの謎』『眞説光クラブ事件』等多数。

Ⓢ新潮新書

125

あの戦争《せんそう》は何《なん》だったのか
大人《おとな》のための歴史教科書《れきしきようかしよ》

著　者　保阪正康《ほさかまさやす》

2005年7月20日　発行
2021年8月20日　45刷

発行者　佐藤隆信

発行所　株式会社新潮社
〒162-8711　東京都新宿区矢来町71番地
編集部(03)3266-5430　読者係(03)3266-5111
http://www.shinchosha.co.jp

地図図版製作　綜合精図研究所
組　版　株式会社ゾーン
印刷所　株式会社光邦
製本所　株式会社大進堂

ISBN978-4-10-610125-0　C0221

Ⓢ新潮新書

123
被差別の食卓
上原善広
フライドチキン、フェジョアーダ、ハリネズミ料理、さいぼし、あぶらかす……それは単に「おいしい」だけではすまされない、差別と貧困の中で生まれた食文化であった──。

141
国家の品格
藤原正彦
アメリカ並の「普通の国」になってはいけない。日本固有の「情緒の文化」と武士道精神の大切さを再認識し、「孤高の日本」に愛と誇りを取り戻せ。誰も書けなかった画期的日本人論。

266
言語世界地図
町田健
国境より複雑な言語の境界線──世界に存在する言語の中から主要な四十六言語を取り上げ、成り立ち、使われている地域、話者数、独自の民族文化などを徹底ガイドする。

788
決定版　日中戦争
波多野澄雄　戸部良一　松元崇　庄司潤一郎　川島真
誰も長期化を予想せず「なんとなく」始まった戦争が、なぜ「ずるずると」日本を泥沼に引き込んでしまったのか──。現代最高の歴史家たちが最新の知見に基づいて記した決定版。

793
国家と教養
藤原正彦
教養の歴史を概観し、その効用と限界を明らかにしつつ、数学者らしい独自の視点で「現代に相応しい教養」のあり方を提言する。大ベストセラー『国家の品格』著者による独創的文化論。